Modern
Klasikler
Dizisi - 22

# Stefan
# Zweig

# Bilinmeyen
# Bir Kadının
# Mektubu

Almanca aslından
çeviren: Ahmet Cemal

TÜRKİYE İŞ BANKASI
Kültür Yayınları

Tanınmış roman yazarı R., dağlara yaptığı üç günlük dinlendirici bir geziden sabahın erken saatlerinde tekrar Viyana'ya döndüğünde ve garda bir gazete aldığında, tarihe şöyle bir bakar bakmaz o günün doğum günü olduğunun farkına vardı. Kırk birinci, diye geçirdi hemen aklından ve bu saptamadan ne haz ne de acı duydu. Gazetenin hışırdayan sayfalarına çabucak göz attı ve bir taksi tutarak evine gitti. Uşak, o yokken gelen iki ziyaretçinin ve birkaç telefonun haberini verdikten sonra, bir tepsiyle biriken postayı getirdi. R., kayıtsız bakışlarla gelenleri gözden geçirdi, birkaç zarfı, gönderenler ilgisini çektiği için açtı; el yazısı yabancı gelen ve epey kalın gözüken mektubu ise bir kenara ayırdı. Bu arada çay getirilmişti, R. koltukta rahatça arkasına dayandı, gazetenin ve başkaca basın organlarının sayfalarını biraz daha karıştırdı; daha sonra bir puro yaktı ve ayırmış olduğu mektuba uzandı.

Yabancı ve huzursuz bir kadın elinden çıkma, acele kaleme alınmış yaklaşık iki düzine sayfaydı, mektuptan çok bir müsveddeye benziyordu. R. elinde olmaksızın bir defa daha, acaba içinde açıklayıcı bir yazı kalmış mıdır diye, zarfı yokladı. Fakat zarf boştu ve kâğıtlar gibi onun da üstünde ne bir gönderici adresi ne de imza vardı. Tuhaf, diye düşündü R. ve mektubu tekrar eline aldı. *"Sana, beni asla tanımamış olan sana,"* diye yazılmıştı en üste, bir hitap, bir başlık yerine. R. hayretle durdu: Ona mıydı bu, yalnızca düş ürünü bir insana mı yazılmıştı? Ansızın merakı uyanmıştı. Ve okumaya başladı:

Çocuğum dün öldü –üç gün ve üç gece boyunca o küçücük, pamuk ipliğine bağlı hayat uğruna ölümle savaştım, kırk saat süreyle, grip onun zavallı, sıcak vücudunu ateş nöbetleriyle sarsarken, yatağının yanında oturdum. Yanan alnına serinletici bir şeyler koydum, onun o tedirgin, küçücük ellerini gece gündüz tuttum. Üçüncü akşam çöktüm. Gözlerim artık tükenmişti, ben farkına varmadan kapandı. Üç veya dört saat boyunca sert sandalyede uyuyakaldım ve bu arada ölüm onu benden aldı. O tatlı, zavallı oğlum şimdi orada, daracık çocuk yatağında, öldüğünde nasıl idiyse yine tamamen öyle yatıyor; sadece gözlerini, o akıllı bakan, koyu renk gözlerini kapatmışlar, ellerini de beyaz geceliğinin üstünde kavuşturmuşlar ve yatağın dört köşesinde dört uzun mum yanıyor. Oraya bakmaya cesaret edemiyorum, kımıldamaya cesaret edemiyorum, çünkü mumlar titrediğinde oğlumun yüzünün ve kapalı ağzının üzerinden hızla gölgeler geçip gidiyor, yüz hatları sanki kıpırdıyor ve o zaman onun ölmediğini düşünebilirim, yeniden uyanacağını, aydınlık sesiyle bana tatlı ve çocukça bir şeyler söyleyebileceğini sanabilirim. Ama biliyorum, o öldü, artık dönüp ona bakmak istemiyorum, bir defa daha umuda kapılmamak için, bir defa daha hayal kırıklığına uğramamak için. Biliyorum, biliyorum, çocuğum dün öldü –şimdi artık benim için yalnız sen varsın dün-

yada, yalnızca sen, benimle ilgili hiçbir şey bilmeyen
sen, bu arada hiçbir şeyden haberi olmayanı oynayan
veya her şeyi ve herkesi alaya alan sen. Evet, yalnızca
sen, beni asla tanımamış olan ve hep sevdiğim sen.

Beşinci mumu aldım ve buraya, sana yazdığım
masanın üstüne koydum. Çünkü ruhumun çığlıklarını
bastırarak ölmüş çocuğumla yalnız kalamam ve bu
korkunç saatlerde seninle konuşmayıp kiminle konu-
şabilirim, benim için hep her şey olmuş ve şimdi de her
şey olan seninle! Belki de çok açık konuşamıyorumdur,
belki de beni anlamıyorsundur –çünkü kafam çok
bulanık, şakaklarım titriyor ve atıyor, bütün uzuvlarım
acı içinde. Sanırım ateşim var, hatta belki de kapı kapı
sinsice gezinen grip şimdi de bana bulaşmıştır ve böy-
lesi iyi olur, çünkü o zaman ben de çocuğumla giderim
ve kendimle mücadele ederek bir şeyler yapmak zorun-
da kalmam. Arada sırada gözlerim bütünüyle kara-
rıyor, belki bu mektubu bile tamamlayamam –fakat
bütün gücümü toplamak istiyorum, bir defa, sadece bu
defa seninle konuşabilmek için, seninle sevgilim, sen
ki, beni asla tanımadın.

Yalnızca seninle konuşmak istiyorum. Sana ilk defa
her şeyi söylemek istiyorum; bütün hayatımı bilmeli-
sin, o hayat ki, hep senindi ve sen onu asla bilmedin.
Fakat benim sırrımı ancak öldüğümde, artık bana
cevap vermek zorunda kalmadığında, uzuvlarımı
şimdi bunca buz gibi ve bunca ateşle sarsmakta olan
şey gerçekten son bulduğunda öğrenmelisin. Hayata
devam etmek zorunda kalırsam eğer, o zaman bu
mektubu yırtacağım ve hep sustuğum gibi, bundan
sonra da susmayı sürdüreceğim. Fakat mektubum
ellerinde ise eğer, o zaman bil ki, burada artık ölmüş

olan biri sana hayatını, ilk dakikasından son nefesine kadar hep senin olmuş olan hayatını anlatmaktadır. Kelimelerim seni korkutmasın; ölmüş olan biri artık hiçbir şey istemez, sevilmeyi de, kendisine acınmasını da, teselli edilmeyi de istemez. Senden tek istediğim, şu anda sana kaçmakta olan acımın hakkımda ele verdiği her şeye inanmandır. Her şeye inan, senden sadece bunu istiyorum: İnsan biricik çocuğunun ölüm anında yalan söylemez.

Ben sana bütün hayatımı, hakiki anlamda ilk defa seni tanıdığım gün başlamış olan o hayatı anlatmak istiyorum. Ondan önce yalnızca bulanık ve karışık bir şeyler vardı, hatırlama çabalarıyla asla derinine inilemeyen bir şeyler, belki toz tutmuş, örümcek ağlarıyla örülmüş, karanlık yüreğimde hiçbirinin bilgisi bulunmayan nesnelerle ve insanlarla dolu herhangi bir mahzen. Sen çıkageldiğinde, on üç yaşındaydım ve şimdi senin oturduğun aynı binada oturuyordum, yani bu mektubu, hayatımın son nefesini ellerinde tutmakta olduğun yerde, dairemiz aynı koridorda, senin dairenin kapısının tam karşısındaydı. Bizi artık hatırlamadığından kesinlikle eminim, bir sayıştay denetçisinden dul kalmış olan kadını (hep matem elbiseleri giyerdi) ve onun daha büyümesini tamamlamamış, sıska kızını hatırlamıyorsundur –çünkü çok sessiz sedasız yaşardık, küçük burjuva yoksulluğumuzun derinliklerine gömülmüştük– belki adlarımızı da hiç duymamışsındır, çünkü dairemizin kapısında bir plaka yoktu ve gelip gidenimiz, soranımız da yoktu. Zaten aradan çok zaman geçti, on beş-on altı yıl, hayır, artık bilmediğinden eminim sevgilim, fakat ben, ah evet, ben her ayrıntıyı tutkuyla hatırlıyorum, senden söz edildi-

Genel Yayın: 2591

MODERN KLASİKLER DİZİSİ

STEFAN ZWEIG
BİLİNMEYEN BİR KADININ MEKTUBU

ÖZGÜN ADI
BRIEF EINER UNBEKANNTEN

ÇEVİREN
AHMET CEMAL

© TÜRKİYE İŞ BANKASI KÜLTÜR YAYINLARI, 2012
Sertifika No: 29619

EDİTÖR
RÛKEN KIZILER

GÖRSEL YÖNETMEN
BİROL BAYRAM

DÜZELTİ
ASLI YALKUT

GRAFİK TASARIM VE UYGULAMA
TÜRKİYE İŞ BANKASI KÜLTÜR YAYINLARI

I. BASIM AĞUSTOS 2012, İSTANBUL
XVII. BASIM MART 2018, İSTANBUL

ISBN 978-605-360-660-4 (KARTON KAPAKLI)

BASKI
UMUT KAĞITÇILIK SANAYİ VE TİCARET LTD. ŞTİ.
Keresteciler Sitesi Fatih Caddesi Yüksek Sokak No: 11/1 Merter
Güngören İstanbul
Tel: (0212) 637 04 11 Faks: (0212) 637 37 03
Sertifika No: 22826

TÜRKİYE İŞ BANKASI KÜLTÜR YAYINLARI
İstiklal Caddesi, Meşelik Sokak No: 2/4 Beyoğlu 34433 İstanbul
Tel. (0212) 252 39 91
Faks (0212) 252 39 95
www.iskultur.com.tr

ğini ilk defa duyduğum, seni ilk defa gördüğüm günü, hayır, hatta saati bile bugünmüş gibi hatırlıyorum, ve nasıl hatırlamayayım ki, benim için dünya (hayat) ilk o zaman başlamıştı. Sabret sevgilim, sana her şeyi, hepsini en baştan anlattığım için, anlatacağım için, senden rica ediyorum, beni dinleyeceğin bu çeyrek saat yüzünden yorulma, çünkü ben seni bütün bir hayat boyunca sevmekten yorulmadım.

Sen bizim bulunduğumuz binaya taşınmadan önce dairende çirkin, kötü, kavgacı insanlar yaşardı. Kendi yoksullukları içersinde komşudaki yoksulluktan, yani bizim yoksulluğumuzdan nefret ederlerdi, çünkü bu yoksulluğun onların o yerlerde sürünen, kaba saba proleterlikleriyle bağdaşır yanı yoktu. Adam ayyaşın biriydi ve karısını döverdi; geceleri çoğu zaman devrilen sandalyelerin ve kırılan tabakların gürültüsüyle uyanırdık, bir defa kadın yüzü gözü kan içinde, saçları darmadağınık merdivene koşmuştu, sarhoş kocası da arkasından bağırıp duruyordu, sonunda kapılarından fırlayanlar adamı polis çağırmakla korkuttular. Annem en başından onlarla herhangi bir ilişki kurmaktan kaçınmıştı ve bana da çocuklarıyla konuşmayı yasaklamıştı, çocuklar bu yüzden her fırsatta benden öç alırlardı. Sokakta karşılaştığımızda arkamdan pis sözlerle haykırırlardı, bir defasında bana o kadar çok sertleştirilmiş kartopu atmışlardı ki, alnımdan aşağıya kan akmıştı. Bütün bina ortak bir içgüdüyle bu insanlardan nefret ederdi ve sonra ansızın –sanırım adam hırsızlıktan dolayı hapse atıldı– aile pılısını pırtısını toplayarak evden taşınmak zorunda kaldığında, hepimiz rahat bir nefes aldık. Birkaç gün boyunca binanın ana kapısında kiralık ilanı asılı kaldı, sonra indirildi ve bir yazarın, tek başına yaşayan sakin bir beyin daireyi kiraladığı haberi kapıcı vasıtasıyla hızla yayıldı. Senin adını ilk defa işte o zaman duydum.

Hemen birkaç gün içinde badanacılar, boyacılar, temizlikçiler ve duvar kâğıtçıları, evi önceki yağlı sakinlerinden temizlemek üzere geldiler, çekiç, fırça ve kazıma sesleri birbirini izledi, ama annem bütün bunları duymaktan memnundu, karşı dairedeki pis hayatın nihayet bittiğini söylüyordu. Seni taşınma sırasında da görmedim: Bütün bu çalışmalara, ancak yüksek tabakadan kişilerin evlerinde çalışan türden uşağın, yani o kısa boylu, ciddi ifadeli, kır saçlı bey nezaret ediyor, her şeyi sessiz ve sadece konuya yoğunlaştığını gösteren bir tavırla, yukarıdan bakarak yönetiyordu. Hepimizi derinden etkilemişti, bunun birinci nedeni varoşta bulunan binamız için bir uşağın çok yeni bir şey olmasıydı, ikinci nedeni ise, kendini normal hizmetlilerle bir tutmaksızın ve öyleleriyle arkadaşça sohbetlere girmeksizin herkese son derece kibar davranmasıydı. Annemi daha ilk günden bir hanımefendi yerine koyarak selamlamaya başlamıştı ve benim gibi bir yaramaza karşı bile her zaman içten ve ciddiydi. Senin adını söylediğinde, bunu özel bir saygı ifadesiyle yapıyordu –sana alışılagelmiş bir hizmet ilişkisinin çok ötesinde bağlı olduğu hemen anlaşılıyordu. Evet, bundan dolayı çok sevmiştim o iyi yürekli ve yaşlı Johann'ı, oysa her zaman yakınında olabildiği ve sana hizmet edebildiği için aynı zamanda onu kıskanıyordum da.

Bütün bunları sana anlatıyorum, sevgilim, bütün bu küçük, neredeyse gülünç olayları sana daha en baştan itibaren o ürkek ve çekingen çocuğu, yani beni nasıl böylesine etkileyebilmiş olduğunu anlaman için anlatıyorum. Daha sen kendin benim hayatıma girmezden önce, çevrende sanki bir ışık halkası, zenginliğin, farklılığın ve sır perdesinin oluşturduğu bir alan vardı –bizler, varoştaki o küçük binada yaşayanlar (çünkü daracık hayatları olanlar, kapılarının önüne gelen her yeni karşısında meraka kapılırlar) sabırsızlıkla senin taşınmanı beklemeye başlamıştık. Ve sana yönelik bu merakım, bir öğleden sonra eve geldiğimde ve mobilya dolu arabanın binanın önünde durduğunu gördüğümde doruğa varmıştı. Hamallar çoğunu, ağır parçaları daha önce yukarıya taşımışlardı, şimdi daha küçük parçalar teker teker götürülmekteydi; ben, her şeye hayretle bakabilmek için kapıda durdum, çünkü bütün eşyan daha önce hiç görmediğim kadar tuhaf bir farklılığı sergilemekteydi; bu eşya arasında Hindistan'daki tanrıların tasvirleri, İtalyan heykelleri, parlak renkler taşıyan büyük resimler vardı ve sonra en arkadan da kitaplar geliyordu, tahmin edemeyeceğim kadar çok sayıda ve güzel kitaplar. Bunların hepsi kapının önüne üst üste konuyordu, orada onları uşak teslim alıyor ve tüy süpürgeyle özenle her birinin tozunu alıyordu. Merakla gittikçe büyüyen yığına yaklaştım, uşak beni oradan göndermedi, fakat cesaretlendirmedi de; bu yüzden hiçbirine dokunmayı göze alamadım, oysa bazılarının yumuşak derisini hissedebilmeyi çok isterdim. Ürkek bir şekilde sadece yanlarından adlarına baktım: Aralarında Fransızca, İngilizce kitaplar vardı, bazıları da hiç bilmediğim dillerdendi. Öyle sanıyorum ki, hepsini saatlerce seyredebilirdim: Tam o sırada annem beni içeri çağırdı.

Henüz tanışmamamıza rağmen, bütün akşam boyunca elimde olmadan seni düşündüm. Benim yalnızca bir düzine kadar ucuz, eskimiş karton ciltli kitabım vardı, onları her şeyden çok severdim ve hep yeniden okurdum. Ve şimdi bütün bu harika kitapların sahibi ve okuru olan, bu dillerin hepsini bilen, bunca zengin ve aynı zamanda da bunca bilgili biri acaba nasıl bir insandır, sorusu kafamı kurcalıyordu. İç dünyamda olağanüstü denilebilecek, derin bir saygı, bu kadar çok kitabın varlığı düşüncesiyle birleşmişti. Kafamda senin resmini çizmeye çalıştım: O resimde gözlüklü, uzun beyaz sakallı yaşlı bir adamdın, bizim coğrafya öğretmenimize benziyordun, sadece ondan çok daha iyi, güzel ve yumuşak başlı biriydin –seni kafamda yaşlı bir adam olarak canlandırdığım halde, nasıl olup da daha en baştan aynı zamanda yakışıklı olman gerektiğine bunca inanmış olduğumu bilemiyorum. O gece ve daha tanımadan, hayatımda ilk defa olmak üzere, senin hayalini kurmuştum.

Ertesi gün taşındın, fakat onca gözetlememe rağmen seni göremedim –bu, merakımı daha da artırdı. Sonunda, üçüncü gün, seni gördüm ve şaşkınlığım çok büyük oldu, çünkü çok farklıydın, o çocuksu Allah baba imgesiyle hiçbir ilintin yoktu. Gözlüklü, tatlı, yaşlı bir adamdı hayalimdeki ve sonra sen çıkageldin, yani bugünkünden hiç farksız olan halinle sen, yılların üstünden akıp gittiği, o hiç değişmeyen insan! Sırtında açık kahverengi, çok şık bir spor giysi vardı ve bir erkek çocuğunkini andıran, eşsiz hafifliğinle, her defasında iki basamağı birden aşarak, merdivenden yukarıya koşmuştun. Şapkanı elinde tutuyordun, o yüzden aydınlık ve canlı yüzünü, gencecik saçlarınla birlikte, anlatılması olanaksız bir şaşkınlıkla görebildim: Evet, ne kadar genç, ne kadar hoş, ne kadar tüy gibi hafif ve şık olduğunu görünce, şaşkınlıktan korkuya kapılmıştım. Ve şu da çok tuhaf değil mi, gerek benim gerekse başkalarının sendeki o kendine özgü bir nitelik olarak her defasında hayretle algıladığımız özelliğinin farkına daha ilk anda varmıştım: Sen, bir anlamda ikili kişiliği olan bir insandın, hem sıcakkanlı, hayatı hafife alan, kendini bütünüyle oyuna ve serüvene vermiş bir gençtin, hem de aynı zamanda sanatında acımasız bir ciddiyet sergileyen, görev bilinci taşıyan, son derece okumuş ve bilgili bir adamdın. Zamanla herkesin sende hissettiği bir şeyi ben bilinçaltımda algılamıştım, sen ikili bir hayat yaşıyordun, bir yönüyle aydınlık, tamamen dünyaya açık bir yüzey, öteki yönüyle ise çok karanlık ve sadece senin bildiğin bir yüzey –bu dipsiz derinliklerdeki ikili yapıyı, senin varlığının sırrını ben, yani daha on üç yaşında olan çocuk, sihirli bir çekim gücünün etkisiyle daha ilk bakışta hissetmiştim.

Benim için, bir çocuk için nasıl bir mucize olduğunu, nasıl baştan çıkarıcı bir esrar perdesi anlamına geldiğini şimdi anlıyor musun sevgilim! Kitaplar yazdığı için, o öteki ve büyük dünyada ünlü olduğu için saygı duyduğun bir insanın ansızın aynı zamanda genç, zarif, bir oğlan çocuğu gibi neşeli ve yirmi beş yaşında bir delikanlı olduğunu keşfetmek! Bilmem ayrıca söylememe gerek var mı, fakat o günden başlayarak evimizde, bütün o zavallı çocukluk dünyamda beni senden başka hiçbir şey ilgilendirmez oldu, on üç yaşındaki bir çocuğun bütün o yoğun ısrarcılığı ve inatçılığıyla yalnızca senin hayatının, senin varlığının çevresinde dolanmaya koyuldum. Seni izledim, alışkanlıklarını izledim, sana gelip giden insanları izledim ve bütün bunlar sana yönelik merakımı azaltacak yerde sadece çoğalttı, çünkü benliğinin ikili yapısı bu ziyaretçilerin farklılığında da dile geliyordu. Gelenler arasında genç insanlar, senin arkadaşların vardı, onlarla gülüp eğleniyordun, neşen yerindeydi, çoğu dağıtmış olan üniversite öğrencileriydi bunlar ve sonra hanımlar vardı, onlar otomobillerle geliyorlardı, bir defasında operanın direktörü olan büyük orkestra şefi geldi, onu o güne kadar sadece uzaktan ve kürsüsünün başında, saygıyla izlemiştim, sonra küçük kızlar vardı, henüz ticaret okuluna gidiyorlardı ve kapıdan içeriye utangaç bir tavırla süzülüveriyorlardı, bu arada çok, hem de pek çok kadın da geliyordu. Özel bir şey düşünmüyordum onlar için, hatta bir sabah, ben okula gitmek üzereyken, yüzünü peçeyle tamamen kapatmış bir hanımın senin evinden çıktığını gördüğümde de bir şey gelmedi aklıma –zira henüz on üç yaşındaydım ve seni gözetlerkenki o tutkulu merakım, aslında çocuk kimliğinde yaşanan bir aşk olduğunun henüz farkında değildi.

Ama sevgilim, kendimi ne zaman sende bütünüyle ve sonrasız olarak yitirdiğimi hâlâ gününe ve saatine kadar hatırlıyorum. Okuldaki bir kız arkadaşımla gezintiye çıkmıştık, sonra binanın kapısında durmuş çene çalıyorduk. O sırada bir otomobil geldi, durdu ve sen, çekiciliği benim için bugün bile süren o sabırsız ve esnek tarzınla hemen arabanın eşiğinden atlayıp kapıya gitmek istedin. Elimde olmaksızın sana kapıyı açmak zorunluluğunu duydum ve böylece yoluna çıktım, neredeyse çarpışacaktık. Sen, bir sevecenlik gibi olan o yumuşak ve insanı sarıp sarmalayan bakışınla bana baktın –evet, başka türlü anlatamam, sevecenlikle gülümsedin ve çok kısık, neredeyse mahremiyet ifadesi taşıyan bir sesle konuştun: "Çok teşekkür ederim, Fräulein."

Hepsi bu kadardı sevgilim, fakat ben o yumuşak, sevecen bakışı hissettiğim andan başlayarak sana vurulmuştum. Gerçi sonra, aradan çok zaman geçmeden, o insanı kucaklayıcı, kendine çekici, sarıp sarmalayıcı, ama bununla eşzamanlı olarak da karşındakini soyan bakışını, doğuştan baştan çıkarıcı bir erkeğe özgü olan o bakışını, sana değip geçen her kadına, hizmet eden her tezgâhtar kıza, kapıyı açan her oda hizmetçisine yönelttiğini, bu bakışın sende bir irade ve eğilim niteliğiyle bilinçli olmadığını, bakışlarının kadınlara duyduğun yakınlığın etkisiyle yumuşak ve sıcak hale geldiğini anlayacaktım. Ama o zamanlar on üç yaşında bir çocuk olarak bunun farkında değildim: Sanki bir ateşin içine düşmüştüm, bu sevecenliğin yalnızca ve yalnızca bana yönelik olduğunu sanıyordum ve o bir an içerisinde yeniyetmeliğimde saklı olan kadın artık uyanmıştı; o kadın, sonuna kadar sana vurgun kaldı.

"Kim bu adam?" diye sormuştu arkadaşım. Ona hemen cevap veremedim. Adını söylemem olanaksızdı: Daha o anda, o tek anda adın benim için kutsal bir şey, bana ait bir sır oluvermişti. "Ah, aynı binada yaşayan herhangi bir adam," diye kekeledim daha sonra beceriksizce. "Peki o zaman sana bakar bakmaz neden kıpkırmızı oldun?" diye alay etmişti arkadaşım meraklı bir çocuğun bütün kötücüllüğüyle. Ve onun sırrımı alaylı bir ifadeyle kurcaladığını anladığım içindir ki, yanaklarımı daha bir kan bastı. Utangaçlığımdan ötürü kabalaştım. "Bir kazdan farksızsın," dedim öfkeyle: Elimden gelseydi, onu oracıkta boğardım. Fakat arkadaşım çok daha yüksek sesle ve daha kötücül bir ifadeyle gülmeye başladı, sonunda âciz kalmışlığın öfkesiyle gözlerimin yaşlarla dolduğunu hissettim. Arkadaşımı orada bıraktım ve yukarıya koştum.

O andan başlayarak seni sevdim. Biliyorum, kadınlar bu kelimeyi sana, senin gibi hep şımartılan bir erkeğe çok sık söylemişlerdir. Fakat inan bana, seni kimse o kız kadar, yani benim kadar, olduğum ve senin için hep öyle kalan ben kadar köle gibi ve bir köpeğin sadakatiyle kendini adayarak sevmedi, çünkü yeryüzünde hiçbir şey kuytuluklardaki bir çocuğun fark edilmeyen sevgisiyle karşılaştırılamaz; çünkü bu sevgi, yetişkin bir kadının tutkulu ve bilinçaltında hep talep eden aşkının hiçbir zaman olamayacağı kadar umarsız, kendini karşısındakine hizmet etmeye adayan, boyun eğen, hep pusuda yatan ve tutkuyla yoğrulmuş bir sevgidir. Sadece yalnızlık çeken çocuklar tutkularını bütünüyle, dağılmaksızın koruyabilirler, ötekiler, duygularını başkalarıyla beraberlik atmosferinde gevezeliklerle harcarlar, yakınlıklarla köreltirler, aşk hakkında çok şey okumuşlardır, duymuşlardır ve aşkın ortak bir kader olduğunu bilirler. Onunla bir oyuncakmışçasına oynarlar, tıpkı ilk sigaralarını içen erkek çocukları gibi, onunla böbürlenirler. Oysa bana gelince, benim içimi dökebileceğim kimsem yoktu, kimse bana bir şey öğretmiş ve beni uyarmış değildi, deneyimsizdim ve her şeyden habersizdim: kendimi kaderime bir uçuruma atlarcasına teslim ettim. İçimde dallanıp budaklanan, su yüzüne çıkan ne varsa, kendine yakın olarak yalnızca seni biliyordu, sana ilişkin hayali biliyordu: Babam çoktandır ölmüştü, annem neşeyi ebediyen gömmüş olan matemi ve dul aylığına mahkûm olmuşların ürkekliğiyle bana yabancılaşmıştı, okuldaki yarı yarıya yozlaşmış kız arkadaşlarım itici geliyorlardı, zira benim için son noktada tutkunun ta kendisi olan şeyi onca hafife alarak oyun konusu yapıyorlardı –böylece ben de normalde parçalanıp dağılan ne varsa hepsini, baskı altında tutulan ve sabırsızlıkla hep yeniden uç veren tüm benliğimi senin önüne serdim. Sen, benim için –sana nasıl söyleyebilirim? Bu konuda her girişim yetersiz kalır–, evet, çünkü sen benim için her şeydin, bütün hayatımdın. Benim için her şey, ancak seninle ilintili olduğu ölçüde vardı, hayatımdakilerin hepsi ancak seninle bağıntılı olduğu ölçüde anlamlıydı. Bütün hayatımı değiştirmiştin. O güne kadar okulda kayıtsız ve sıradan bir öğrenci iken, ansızın birinci oldum, gecenin geç saatlerine kadar pek çok kitap okuyordum, zira senin kitapları sevdiğini biliyordum, senin müziği sevdiğine inandığım için birdenbire, neredeyse inatçı bir ısrarla ve annemi hayretler içersinde bırakarak piyano çalışmaya başladım. Hoşuna gidebilmek ve sana layık görünebilmek için giysilerimi temiz tutuyor ve söküklerini dikiyordum, ve eski okul önlüğümle –annemin eski bir ev elbisesinden bozmaydı– sol tarafındaki eski ve dört köşe lekeden dolayı kendimi korkunç hissediyordum. Onu fark edip beni aşağı görmenden korkuyordum; bu yüzden ne zaman korkudan titreyerek merdivenlerden yukarıya koşsam okul çantamı lekenin üstüne bastırıyordum. Oysa bu, son derece aptalcaydı: Çünkü sen beni asla, neredeyse hiçbir zaman görmedin.

Ama ben buna rağmen aslında bütün gün seni beklemekten ve sana pusu kurmaktan başka bir şey yapmıyordum. Kapımızda pirinçten yapılma küçük bir göz deliği vardı ve bu yuvarlak delikten senin kapın görülebiliyordu. İşte o göz deliği –hayır, gülme sevgilim, çünkü ben bugün bile, evet, bugün bile orada geçirdiğim saatlerden utanç duyuyorum!– benim dünyaya açılan gözümdü, o aylarda ve yıllarda orada, o buz gibi holde, annemi kuşkulandırmaktan çekinerek, elimde bir kitap bütün öğlenden sonraları boyunca pusuya yatıyordum, bir tel gibi gergindim ve varlığının ona her dokunuşuyla tınlıyordum. Hep senin etrafındaydım, hep gergin ve hareketliydim; ama sen beni ancak cebinde taşıdığın ve karanlıkta sabırla senin saatlerini sayıp ölçen, yollarında sana duyulmayan nabız atışlarıyla eşlik eden ve senin acele bakışlarının saniyelerin tik taklarının ancak milyonda birinde yöneldiği saatin yayının gerginliğini hissettiğin kadar hissedebiliyordun. Senin hakkında her şeyi biliyordum, her alışkanlığını, her kravatını ve her elbiseni tanıyordum, tanıdıklarının kimler olduğunu kısa zamanda öğrenmiş ve aralarında ayrım yapmaya başlamıştım, onları hoşlandıklarım ve bana itici gelenler diye sınıflandırıyordum: on üç yaşımdan on altı yaşıma kadar her saat sende yaşadım. Ah, ne delilikler yaptım bir bilsen! Elinin değdiği kapı tokmağını öptüm, dairene girmezden önce fırlatıp attığın bir puro izmaritini çaldım ve onu, dudakların değmiş olduğu için, artık kutsal bir nesne saydım. Akşamları belki yüz kez bir bahane icat ederek, odalarından hangisinde ışık yandığını görmek, böylece de senin varlığını, o görünmeyen varlığını daha bir bilerek hissetmek için aşağıya, sokağa koşardım. Ve senin yolculukta olduğun haftalarda –sevimli Johann'ın yolculuklarında kullandığın sarı bavulu aşağıya taşıdığını ne zaman görsem kalbim korkudan duracak gibi olurdu–, evet, o haftalarda hayatım sanki söner ve anlamsızlaşırdı. Asık suratla, canım sıkkın ve etrafa kötü kötü bakarak dolanıp dururdum ve annem ağladığımı belli eden gözlerimden üzüntümü anlamasın diye sürekli dikkat etmek zorunda kalırdım.

Biliyorum, bütün bunlar, sana burada anlattıklarımın hepsi itici aşırılıklardan ve çocukça çılgınlıklardan ibaret. Aslında onlardan utanmam gerekirdi, fakat utanmadım, çünkü sana olan aşkım hiçbir zaman o çocukça taşkınlıklar sırasındaki kadar tertemiz ve tutkulu olmadı. Saatlerce, hatta günlerce o zamanlar nasıl seninle yaşamış olduğumu anlatabilirim, hem de benim yüzümü neredeyse hiç tanımayan seninle, çünkü sana merdivende rastladığımda ve kaçamadığımda, o yakıcı bakışların karşısında duyduğum korkuyla başım eğik, sanki ateş beni yakıp kavurmasın diye suya atlarcasına, yanından koşarak geçerdim. O şimdi çoktan uçup gitmiş yılları saatlerce, günlerce anlatabilirim, bütün hayatının takvimini gözlerinin önüne serebilirim; ama canını sıkmak istemiyorum, sana acı çektirmek istemiyorum. Tek istediğim, çocukluğumun şu en güzel yaşantısını da seninle paylaşmak ve anlatacağım şey çok önemsiz olduğu için benimle alay etmemeni diliyorum, çünkü o zamanki çocuk için, benim için o şey, başlı başına bir sonsuzluktu. Bir pazar günü olmuş olmalı. Sen yolculuğa çıkmıştın ve uşağın silkmiş olduğu ağır halıları dairenin açık duran kapısından içeriye sürüklüyordu. O iyi yürekli adamcağız zahmet çekiyordu bu işi yaparken ve ben de ansızın gelen bir cesaretle yanına gidip acaba yardım edebilir miyim diye sordum. Adamcağız şaşırmıştı, fakat izin verdi ve böylece ben de –ne kadar büyük bir saygıyla olduğunu ayrıca söylememe bilmem gerek var mı!– evinin içini, dünyanı, hep başında oturduğun ve üstünde, içinde birkaç çiçeğin bulunduğu mavi bir kristal vazonun durduğu yazı masanı görebildim. Sonra dolapların, resimlerin, kitapların. Bu, hayatına kaçarcasına, neredeyse hırsızlama bir bakıştı, çünkü sadık Johann, tam bir gözlem yapmamı hiç kuşkusuz engellerdi, fakat ben o tek bakışla bütün atmosferi içime çektim ve böylece hem uyanıkken hem de uyurken gördüğüm sonsuz rüyalarım için gerekli besini almış oldum.

O dakika, o hızla geçiveren tek dakika, çocukluğumun en mutlu dakikasıydı. Sana işte o dakikayı anlatmak istedim, beni hiç tanımayan sana, bütün bir hayatın nasıl sana bağlı olduğunu ve nasıl geçip gittiğini artık sezmeye başlayasın diye anlatmak istedim. Ve ötekini de, ne yazık ki bu olaya çok yakın komşu olan o korkunç zaman parçasını da anlatmak istedim. Ben –bunu daha önce de söyledim zaten– o sıralarda senin uğruna her şeyi unutmuştum, anneme dikkat etmiyordum ve kimseyle de ilgilenmiyordum. Bu yüzden Innsbruck'lu bir tüccar ve annemin koca tarafından uzak bir akrabası olan yaşlıca bir beyin gittikçe daha sık geldiğini ve daha uzun zaman kaldığını da fark etmedim, dahası bu benim işime de yarıyordu, çünkü adam bazen annemi tiyatroya götürüyordu, ben de yalnız kalabiliyordum, seni düşünebiliyordum, senin için pusuya yatabiliyordum ve bu en büyük mutluluğumdu, tek mutluluğumdu. Bir gün annem beni biraz resmi bir ifadeyle odasına çağırdı; ciddi bir şey konuşmak istediğini söylemişti. Bunun üzerine rengim soldu ve kalbim ansızın deli gibi atmaya başladı; bir şeyler sezmiş, anlamış olabilir miydi? İlk düşündüğüm sendin, beni dünyaya bağlayan sırdı. Fakat annem de sıkılgan görünüyordu, beni bir iki kere sevgiyle öptü (bu, normalde asla yapmadığı bir şeydi), kanepede yanına çekti, sonra çekingen ve utangaç bir ifadeyle anlatmaya başladı; kendisi de dul olan akrabası, ona evlenme teklif etmişti ve annem de, her şeyden önce beni düşünerek, bu teklifi kabul etmekte kararlıydı. Kanım, yüreğime daha bir sıcak dolmaya başlamıştı: İçimden cevap olarak yalnızca tek bir düşünce, sana ait düşüncem yükseliyordu. Ancak, "Ama burada kalıyoruz değil mi?" diye kekeleyebildim. "Hayır, Innsbruck'a taşınıyoruz, orada Ferdinand'ın güzel bir villası var." Ondan sonrasını duymadım. Gözlerim kararmıştı. Sonradan bayılmış olduğumu öğrendim; annem kapının arkasında beklemiş olan üvey babama anlatırken duydum, ellerimi açarak geri gitmiş, sonra da kurşun gibi yere yığılmışım. Sonraki günlerde neler olduğunu, kendimi güçsüz bir çocuk gibi onların aşırı güçlü iradeleri karşısında nasıl savunmaya çalıştığımı sana anlatamam: şimdi bütün bunları düşünürken, kalem tutan elim hâlâ titriyor. Gerçek sırrımı ele veremezdim, bu yüzden karşı koyuşum sadece inatçılık ve kötülük diye algılandı. Artık kimse benimle konuşmuyordu ve her şey benden gizli yapılıyordu. Taşınmaya hazırlık için benim okulda bulunduğum saatlerden yararlanılıyordu: her eve dönüşümde eşyadan birazı daha taşınmış veya satılmış oluyordu. Evin ve böylece de hayatımın nasıl yıkılmakta olduğunu görebiliyordum ve bir defasında, öğlen yemeğine geldiğimde, taşıyıcılar benden önce gelip kalan her şeyi götürmüşlerdi. Boş odalarda toplanmış bavullar, bir de annem ve benim için iki kamp yatağı durmaktaydı: bir gece daha, son gece, orada yatacaktık ve ertesi günü Innsbruck'a gitmek üzere yola çıkacaktık. O son gün ani bir kararlılıkla sana yakın olmadan yaşayamayacağımı hissettim. Senden başka kurtuluş göremiyordum. Bunu nasıl düşündüğümü ve o çaresizlik içinde geçen saatlerde doğru dürüst düşünebilip düşünemediğimi sana asla söyleyemeyeceğim, fakat ansızın –annem çıkmıştı– üstümde okul kıyafetiyle kalktım ve karşıya, sana gittim. Hayır, aslında gitmedim: bir şey beni kaskatı bacaklarımla ve titreyen oynak yerlerimle mıknatıs gibi senin kapına çekti. Sana daha önce de söylediğim gibi, ne istediğimi doğru dürüst bilmiyordum: Belki ayaklarına kapanmak ve beni hizmetçi olarak, köle olarak alıkoyman için yalvarmak istiyordum ve korkarım on beş yaşındaki bir kızın bu aşırılığı karşısında güleceksin ama sevgilim, eğer o zaman dışarıda, buz gibi koridorda korkudan kaskatı kesilmiş olarak nasıl durduğumu ve buna rağmen akıl almaz bir güç tarafından nasıl ileriye doğru itildiğimi ve titreyen kolumu, havaya kalkabilsin diye, bir anlamda bedenimden koparırcasına nasıl ayırdığımı ve –bu, korkunç saniyelerin sonsuzluğu boyunca süren bir savaştı– parmağımı kapının tokmağının üstündeki düğmeye nasıl bastırdığımı bilseydin eğer, inan ki gülmezdin. O tiz zil sesi ve ondan sonra gelen, kalbimin durduğu, bütün kan dolaşımımın kesildiği ve sadece sen geliyor musun diye kulak kesildiğim o sessizlik, bugün bile hâlâ kulaklarımdan silinmiş değil.

Fakat sen gelmedin. Kimse gelmedi. O öğlenden sonrasında sen herhalde çıkmıştın ve Johann da alışverişe gitmişti; o yüzden ben de, gümbürdeyen kulaklarımın içinde ölü zil sesiyle ve el yordamıyla, kendi darmadağın olmuş, boşaltılmış evimize geri döndüm ve bitkin bir halde ekose desenli bir battaniyenin üstüne yığıldım, dört adımda, sanki saatlerce, derin kara bata çıka yürümüş gibi yorulmuştum. Fakat bu bitkinliğin altında, seni görme, beni zorla koparıp götürmelerinden önce seninle konuşma kararlılığı hâlâ bir kor gibi sıcak ve canlıydı. Sana yemin ederim ki, bunun içinde şehveti çağrıştıran bir düşünce yoktu, senden başka hiçbir şey düşünmediğim için bu konuda hâlâ bilgisizdim: Yalnızca seni görmekti istediğim, bir defa daha görmek, sana sarılmaktı. Sonra, sevgilim, bütün gece, bütün o korkunç ve uzun gece boyunca seni bekledim. Annem yatağına yatıp uyur uyumaz eve gelişini duyabilmek amacıyla kulak kabartmak için sessizce hole süzüldüm. Bütün gece boyunca bekledim ve buz gibi bir ocak gecesiydi. Yorgundum, her yanım ağrıyordu ve oturacak bir sandalye bile yoktu: o yüzden boylu boyunca yere, kapının altından gelen cereyanın üfürerek geçtiği zemine uzandım. Vücudumu acıtan zeminde üstümde sadece ince bir giysiyle yatıyordum, çünkü bir şey örtmemiştim, uykuya dalarsam senin ayak seslerini duyamam korkusuyla ısınmak istemiyordum. Acılar içindeydim, kramp giriyormuşçasına ayaklarımı yukarı çekip büzülmüştüm, kollarım titriyordu: o korkunç karanlığın içi öylesine soğuktu ki, ikide bir ayağa kalkmak zorunda kalıyordum. Bekledim, bekledim, seni kaderimi beklercesine bekledim.

Sonunda –sabahın iki veya üçü olmalıydı– aşağıda binanın kapısının açıldığını ve merdivenlerden çıkan ayak seslerini duydum. Soğuk ansızın üzerimden çekilip gitmişti, her yanımı bir sıcaklıktır basmıştı, sana doğru koşmak, ayaklarına kapanmak için hafifçe kapıyı açtım... Ah, budala bir çocuk olarak o zaman ne yapardım bilmiyorum. Adımlar yaklaşıyordu, bir mum ışığı parladı. Titreyerek kapının tokmağını tuttum. Sen olabilir miydin bu gelen?

Evet, sendin, sevgilim –ama yalnız değildin. Hafiften, sanki gıdıklanan birinden çıkan bir gülmeyi, ipek bir elbisenin hışırtısını ve senin alçak perdeden gelen sesini duydum –eve bir kadınla dönmüştün...

O geceyi nasıl atlatabildim, bilmiyorum. Ertesi sabah, saat sekizde, beni Innsbruck'a sürüklediler; artık karşı koyacak gücüm kalmamıştı.

Çocuğum dün gece öldü –ve şimdi, gerçekten yaşamaya devam etmek zorunda kalırsam eğer, yine yalnız olacağım. Yarın o yabancı, karalar içindeki kaba saba adamlar gelecekler ve bir tabut getirecekler, benim zavallı, benim biricik çocuğumu onun içine yatıracaklar, belki tanıdıklar da gelecek ve çelenkler getirecekler, ama bir tabutun üstündeki çiçeklerin ne anlamı olabilir ki? Beni teselli edecekler ve birtakım sözcükler söyleyecekler, sözcükler, sözcükler; fakat ne yardımı dokunabilir ki sözcüklerin bana? Biliyorum, ondan sonra yine yalnız olacağım. Ve insanların arasında yalnız olmaktan daha korkunç bir şey yoktur. Bunu o zaman öğrendim, o zamanlar, o sonsuz gibi gelen ve Innsbruck'ta geçen iki yılda, on altı yaşımdan on sekiz yaşıma kadarki, ailemin içinde bir tutuklu, toplumdışı kılınmış biri gibi yaşadığım yıllar içerisinde öğrendim. Çok sakin ve az konuşan bir adam olan üvey babam bana karşı iyiydi, annem, sanki bilmediği bir haksızlığın kefaretini ödermişcesine, bütün isteklerimi karşılamaya hazır görünüyordu, genç insanlar bana yaklaşmaya çalışıyorlardı, fakat ben onların hepsini tutkulu bir direnişle geri çeviriyordum. Senden uzaktayken mutlu, halimden memnun yaşamak istemiyordum, kendi kendimi acılardan ve yalnızlıktan oluşma, karanlık bir dünyaya gömmüştüm. Bana aldıkları yeni ve renkli giysileri giymiyordum, konserlere, tiyatrolara gitmeyi veya neşeli gruplarla yapılan gezilere katılmayı reddediyordum. Neredeyse sokağa bile çıkmıyordum: İki yıl yaşadığım o küçük şehirde on sokağı bile tanımadığıma inanabilir misin sevgilim? Matemdeydim ve matem tutmak istiyordum, seni görmekten yoksun oluşuma, kendimi mahkûm ettiğim bütün öteki yoksunlukların esrikliğini ekliyordum. Ve ayrıca, dikkatimin sadece sende yaşamaya ilişkin tutkumdan başkaca bir şeye kaymasını istemiyordum. Yalnız başıma evde oturuyordum, saatlerce, günlerce ve seni düşünmekten başka hiçbir şey yapmıyordum, sana ait yüzlerce küçük anıyı, her karşılaşmayı, her bekleyişi kendim için yeniliyordum, bu küçük olayları birer tiyatro oyunu gibi kendime oynuyordum. Ve işte o yüzden, yani bir zamanlara ait her saniyeyi kendime sayısız defa tekrar ettiğimden, bütün çocukluğum belleğimde öylesine yakıcı bir anı olarak kaldı ki, o geçmişe karışan yıllara ait her dakikayı sanki daha dün kanımda dolaşmış gibi sıcak ve canlı hissedebiliyorum.

Ben, bütün o zaman boyunca yalnızca sende yaşadım. Bütün kitaplarını satın aldım; adının gazetede çıktığı günler benim için hep birer bayram günüydü. Kitaplarındaki her satırı ezbere bildiğime, onları bu kadar sık okumuş olduğuma inanabilir misin? Gecelerden birinde birisi kalkıp beni uykudan uyandırsa ve o kitaplardan rasgele bir satırı bana okusa, bugün bile, yani aradan on üç yıl geçtikten sonra bile sanki bir rüya görüyormuşçasına onun devamını getirebilirim; senin her sözcüğün benim için bir İncil ve bir dua yerine geçti. Bütün dünya, benim için yalnızca seninle ilintili olduğu ölçüde varlık kazandı: Viyana gazetelerinde konserleri, prömiyerleri sadece onlardan hangisinin seni ilgilendirebileceği düşüncesiyle izledim ve vakit akşam olduğunda sana uzaktan eşlik ettim: İşte şimdi salona giriyor, şimdi yerine oturuyor. Seni yalnızca bir defa bir konserde gördüğüm için, bin defa bunun hayalini kurdum.

Fakat neden anlatıyorum bütün bunları? Terk edilmiş bir çocuğun bu delice, kendi kendisini yiyip bitiren, böylesine trajik bir umarsızlıktaki saplantısını? Bunları asla sezmemiş, asla bilmemiş birine neden anlatıyorum? Ama o zamanlar gerçekten de hâlâ bir çocuk muydum ben? On yedi-on sekiz yaşıma gelmiştim –gençler, sokaklarda dönüp bana bakmaya başlamışlardı, fakat böyle yapmakla beni sadece öfkelendiriyorlardı. Çünkü senden başka birini düşünerek âşık olmak, hatta yalnızca aşkla bir oyun oynamak, bana son derece açıklanamaz, son derece düşünülemez bir biçimde yabancıydı, dahası şeytana uyup bunları düşünmek bile benim için bir cinayetten farksız olurdu. Sana olan tutkum hep aynı kaldı, sadece bedenimle birlikte o da farklılaştı, daha bir uyanmış olan duygularımla birlikte daha kasıp kavurucu, daha bir bedensel ve kadınsı hal aldı. Ve bir zamanlarki çocuğun, senin kapının zilini çalan çocuğun o bulanık ve eğitilmemiş iradesiyle sezemeyeceği şey, benim için artık tek bir düşünceye dönüşmüştü: kendimi sana armağan etmek, senin olmak.

Çevremdeki insanlar ürkek olduğumu düşünü-
yorlar, beni çekingen diye nitelendiriyorlardı (sırrımı
büyük bir dirençle iç dünyamda saklıyordum). Ama
içimde demir gibi bir irade kökleşmişti. Bütün düşün-
cem ve çabalarım yayında gerilmiş bir ok gibi tek bir
hedefe yönelikti: Viyana'ya geri dönmek, sana geri
dönmek. Ve başkalarına ne kadar anlamsız, ne kadar
anlaşılmaz gözükürse gözüksün, irademin gereğini
zorla yerine getirdim. Üvey babam varlıklı biriydi ve
bana kendi öz çocuğu gözüyle bakıyordu. Ama ben,
kıran kırana bir ısrarla kendi paramı kendim kazan-
mak istiyordum ve sonunda büyük bir konfeksiyon
mağazasının çalışanı olarak Viyana'ya, bir akrabanın
yanına yollanmamı sağladım.

Sisli bir sonbahar akşamı –nihayet! nihayet!–
Viyana'ya vardığımda, ilk gittiğim yerin neresi olduğu-
nu sana söylememe bilmem gerek var mı? Bavulumu
garda bıraktım, bir tramvaya atladım –bana çok yavaş
gidiyormuş gibi geliyordu, her durakta öfkeleniyor-
dum– ve evinin önüne koştum. Pencerelerin aydınlıktı,
yüreğim deli gibi çarpıyordu. O zamana kadar bana
onca yabancı kalmış, onca anlamsız bir biçimde yanım-
dan geçip gitmiş olan şehir, işte ancak şimdi yaşamaya
başlamıştı, ben de ancak şimdi yeniden yaşıyordum,
çünkü senin, sonsuz rüyamın artık yakınımda olduğu-
nu seziyordum. Gerçekte senin bilincine, şimdi vadile-
rin, dağların ve nehirlerin ötesine olduğumdan daha
uzak olduğumu elbette hissedemezdim, çünkü seninle
benim parıltılar saçarak yukarıya dikilmiş bakışlarım
arasında yalnızca pencerenin ince ve parlak camı vardı.
Ben hep yukarıya, sürekli yukarıya bakmaktaydım:
ışık vardı orada, evin vardı, sen vardın, orada benim

dünyam vardı. İki yıl boyunca hep bu zaman parçasını hayal etmiştim, ve şimdi o zaman, artık bana armağan edilmişti. O uzun, yumuşak, bulutlu akşam boyunca pencerelerinin önünde durdum, ta ki ışıklar sönene kadar. Kalacağım yere ancak ondan sonra gittim.

Her akşam böylece evinin önünde durdum. İşte akşamın altısına kadar kalıyordum, zor ve yorucu bir işti, fakat seviyordum, çünkü işin tedirginliği kendi tedirginliğimin acısını daha az duymamı sağlıyordu. Ve demir kepenkler arkamdan gürültüyle iner inmez sevgili hedefime koşuyordum. Seni yalnızca bir defa olsun görmek, yalnızca bir defa sana rastlamak, yalnızca bir defa daha bakışlarımla uzaktan olsun yüzünü kucaklayabilmek, tek arzumdu. Aradan yaklaşık bir hafta kadar geçtikten sonra nihayet sana rastlayabildim, üstelik de beklemediğim bir anda: ben yukarıya bakıp senin pencerelerini gözetlerken sen caddeyi geçip geldin. Ve o zaman ben ansızın tekrar o on üç yaşındaki çocuk oluverdim, yanaklarımı kan bastığını hissettim; elimde olmaksızın içimin en derin noktasında yatan, senin gözlerini hissetmenin özlemini çeken arzuya karşı çıkarak başımı eğdim ve şimşek gibi, arkamdan kovalanıyormuşçasına koşarak yanından geçtim. Daha sonra ancak okullu kızlara yakışabilecek bu ürkek kaçıştan utandım, çünkü artık iradem açıktı, seninle karşılaşmak istiyordum, seni arıyordum, bir nevi uyuklamakla ve özlemle harcanmış onca yılın ardından nihayet senin tarafından tanınmak istiyordum, beni dikkate değer bulmanı, sevmeni istiyordum.

Ama sen, tipi halinde yağan karın altında ve Viyana'nın o bıçak gibi kesen sert rüzgârında bile her akşam sokağında beklediğim halde, uzun zaman benim farkıma varmadın. Kimi zaman saatler boyu bekledim ve sen sonunda tanıdıklarının eşliğinde evinden çıkıp gittin, iki defa seni kadınlarla birlikte de gördüm; artık bir yetişkin olduğumu, sana olan duygumun farklılığını, seni kendinden çok emin bir ifadeyle koluna girmiş yabancı bir kadınla yürüyüp gittiğini gördüğümde ansızın geliveren ve ruhumu parçalayan yürek çarpıntısından da anlayabiliyordum. Gerçi arkası hiç kesilmeyen kadın ziyaretçilerini çocukluk günlerimden biliyordum, oysa şimdi bundan bedensel bir acı duymaya başlamıştım, bir başka kadınla olan bu apaçık ve tensel yakınlık bende bir gerginlik yaratıyordu, bu gerginlik sözünü ettiğim yakınlığa yönelik olarak düşmanca ve aynı zamanda o yakınlığı paylaşma talebini içeren bir duyguydu. Bir gün, o zamanlar içimde taşıdığım ve belki varlığını şimdi de sürdüren çocukça bir gururun etkisiyle, evinden uzak kalmayı denedim; ama direnmeyle ve başkaldırıyla geçen o bomboş akşam korkunçtu. Hemen ertesi akşam yine kaderime boyun eğmiş olarak evinin önünde beklemedeydim, uzun süren kaderim boyunca bana kapalı kalan hayatının önünde hep yaptığım gibi yine bekliyordum.

Ve sonunda, bir akşam beni fark ettin. Seni daha uzaktan gelirken görmüştüm ve senden kaçmamak için irademin bütün gücünü seferber etmiştim. Rastlantı sonucu, yükünü boşaltmakta olan bir araba yüzünden cadde daralmıştı ve sen benim çok yakınımdan geçmek zorunda kaldın. Dağınık bakışların ister istemez üzerimde gezindi ve benim bakışlarımdaki dikkatle karşılaşır karşılaşmaz –bunu hatırlayınca nasıl da korkmuştum!– senin, o kadınlara yönelik özel bakışına, o sevecen, sarıp sarmalayan, aynı zamanda da karşısındakinin bütün örtülerini kaldıran, kucaklayan ve hemen o anda yakalayan bakışlarına, beni, yani bir çocuğu hayatında ilk kez bir kadının, artık seven birinin erişkinliğine ulaştıran bakışlara dönüştü. Bu bakışlar bir iki saniye boyunca benim kaçmayı başaramayan, zaten kaçmak da istemeyen bakışlarımı sımsıkı tuttu –ve sonra artık yanımdan geçip gitmiştin. Yüreğim çarpıyordu: elimde olmaksızın adımlarımı ağırlaştırmak zorunda kaldım ve engellenemez bir merakla dönüp baktığımda, senin durmuş olduğunu ve arkamdan baktığını gördüm. Ve meraklı bir ilgiyle bana bakışından hemen anladım: Beni tanımamıştın.

Hayır, beni tanımamıştın, o zaman tanımadın, asla, asla beni tanımadın. Sana o anın hayal kırıklığını nasıl anlatabilirim, bilmiyorum sevgilim –çünkü o zaman böyle bir kaderi, senin tarafından tanınmamak gibi ömrüm boyunca mahkûm olacağım bir kaderin acısını ilk defa yaşıyordum ve şimdi de o kaderle ölüyorum: senin tarafından hiçbir zaman tanınmamış olarak. Sana nasıl tasvir edebilirim ki bu hayal kırıklığını? Çünkü bak, Innsbruck'ta geçen, her saatinde seni düşündüğüm ve sadece Viyana'daki yeniden karşılaşmamızın nasıl olacağını kafamdan geçirmekten başka bir şey yapmadığım o iki yıl boyunca, her defasında içinde bulunduğum ruhsal duruma göre, en kötü ve en mutlu ihtimallerin hayalini kurmuştum. Deyiş yerindeyse eğer, her şey hayal edilmişti; karamsar anlarımda kafamda beni geri çevireceğini, çok önemsiz, çok çirkin, çok ısrarlı olduğum için benden nefret edeceğini canlandırmıştım. Senin hoşnutsuzluğunun, soğukluğunun, umursamazlığının olası bütün şıklarını, evet, bunların hepsini tutkulu vizyonların kalıbında kafamdan geçirmiştim –ama bunların içinden birini, tek bir tanesini, en korkuncunu, yani benim varlığımı hiçbir biçimde fark etmeyeceğin ihtimalini en karanlık ruh hallerimde, aşağılık kompleksimin en uç noktalarında bile göze almaya cesaret edememiştim. Gerçi bugün artık anlayabiliyorum –evet, bunu anlamayı öğrettin bana!– bir kızın, bir kadının yüzü bir erkek açısından herhalde alışılmadık ölçüde değişkendir, çünkü böyle bir yüz, çoğunlukla bazen bir tutkunun, bazen bir çocuksuluğun, bazen bir yorgunluğun sadece aynasıdır ve aynadan yansıyan bir görüntü kadar çabuk akıp gider, yani bir erkek açısından bir kadının çehresini yitirmek çok daha kolaydır, zira geçen yılların o çehrede yarattığı değişiklikler ışık ve gölge oyunu gibidir, giysiler ise her defasında çehreleri farklı çerçeveler içinde gösterir. Ancak artık kadere boyun eğmiş olanlar, hakiki anlamda bilen kişilerdir. Oysa, o zamanlar daha bir genç kız olan ben, henüz senin unutkanlığını anlayabilecek durumda değildim, çünkü seninle ölçüsüz ve sürekli ilgilenişim sonucunda iç dünyamda senin de sık sık beni düşüneceğin ve bekleyeceğin gibi çılgınca bir düşünce bir şekilde filizlenmişti; senin için bir hiç olduğumu, bana ait herhangi bir hatıranın en hafif biçimde bile seni etkilemediğini bilseydim eğer, herhalde soluk bile alamazdım! Ve senin bakışlarının altında gerçekleşen, benliğinin hiçbir parçasıyla beni tanımadığını, hayatından benim hayatıma, isterse bir örümcek ağı kadar incecik olsun, hiçbir hatıranın uzanmadığını gösteren o uyanış, gerçekliğin uçurumuna ilk yuvarlanıştı, kaderime ilişkin ilk sezgiydi.

O zaman beni tanımadın. Ve iki gün sonra yeni bir karşılaşmada bakışların belli bir aşinalıkla beni kuşat-

tığında, bir defa daha beni seni seven ve senin uyandır-
dığın kişi olarak değil, fakat sadece iki gün önce aynı
yerde karşına çıkmış olan on sekiz yaşındaki genç kız
kimliğiyle tanıdın. Bana sevecen bir şaşkınlıkla baktın
ve dudaklarında hafiften bir gülümseme gezindi. Yine
yanımdan geçtin ve yine adımlarını hemen yavaşlattın:
ben titriyordum, sevinçten neredeyse bağıracak gibiy-
dim ve dua ediyordum. Benimle konuşacaktın. Senin
için ilk defa canlı olduğumu hissediyordum: ben de
adımlarımı yavaşlattım, senden kaçmadım. Ve ansızın,
geriye dönmeden, seni arkamda hissettim, o sevdalısı
olduğum sesinin bana ilk defa hitap edeceğini duya-
cağımı biliyordum. Beklenti, iç dünyamda bir felce
uğramışlık gibiydi, artık durmak zorunda kalmaktan
korkuyordum, yüreğim öylesine çarpıyordu –ve sen
yanıma geçtin. Benimle sanki uzun zamandır tanışı-
yormuşuz gibi, o hafiften neşeli tavrınla konuştun –ah,
evet, hayatıma ait herhangi bir şeyi sezebildiğin hiç
olmadı!–, benimle öylesine büyüleyici bir rahatlıkla
konuştun ki, sana cevap vermeyi bile başarabildim.
Bütün sokak boyunca birlikte yürüdük. Ondan sonra
da bana birlikte yemek yer miyiz diye sordun. Sana
hayır demeye nasıl cüret edebilirdim ki?

Küçük bir restoranda yedik –nerede olduğunu
hatırlıyor musun? Ah, elbette hayır, çünkü senin için
öteki benzer akşamlardan farklı bir yanı yoktu, zira
kimdim ki ben senin gözünde? Yüzlercesi arasından
sadece birisi, sonrasız sürüp giden bir zincirde tek
bir serüven halkası. Zaten beni sana hatırlatacak
hiçbir şey de yoktu: az konuştum, çünkü yakınımda
olman, benimle konuştuğunu duymak, benim için
sonsuz mutluluk vericiydi. Konuşmanın bir saniyesini

bile bir soruyla, budalaca bir sözcükle ziyan etmek istemiyordum. Orada geçirdiğimiz zaman boyunca sana duyduğum o tutkulu saygıyı nasıl sonuna kadar hak ettiğini, ne kadar ince ve anlayışlı davrandığını, her türlü ısrarcı yaklaşımdan ve telselliği de içeren sevecenliklerden nasıl uzak kaldığını hep şükran duyarak hatırlayacağım ve asla unutmayacağım, daha ilk andan başlayarak öylesine güven verici, dostça bir samimiyet sergilemiştin ki, çoktandır bütün iradem ve arzumla sana ait olmasaydım bile beni kazanırdın. Ah, benim o beş yıllık çocukça beklentimi hayal kırıklığına sürüklememekle ne kadar büyük bir arzuyu karşılamış olduğunu asla bilemezsin!

Vakit geç olmuştu, kalktık. Restoranın kapısında bana acelem olup olmadığını, biraz daha zamanımın bulunup bulunmadığını sordun. Senin için hazır olduğumu nasıl saklayabilirdim! Daha zamanımın olduğunu söyledim. Sonra sen, hafiften bir çekingenliği hemen aşarak, gevezelik etmek üzere biraz evine gelmeyi ister miyim diye sordun. "Memnuniyetle," dedim kendimi bütünüyle içimdeki duygunun doğallığına bırakarak ve hemen o anda çabuk kabullenişimden tedirginlikle veya sevinçle, ama bir biçimde etkilendiğinin, ama her ne olursa olsun kesinlikle şaşırdığının farkına vardım. Bugün o hayretini anlıyorum; çünkü biliyorum ki kadınlar genel olarak, içlerindeki kendini verme arzusu ne kadar yakıcı olursa olsun, bu hazır oluş durumunu inkâr etmek, ürkmüş gibi yapmak veya yalanlar, yeminler ve vaatler aracılığıyla önce yatıştırılması gereken bir öfkeyi oynamak alışkanlığındadırlar. Ayrıca, böyle bir davete bu kadar sevinçle karşılık vermenin belki de ancak aşkın profesyonellerine, yani hayat kadınlarına veya saf, bütünüyle yeniyetme çocuklara özgü olduğunu da biliyorum. Fakat benim içimde gerçekleşen –sen nasıl sezebilirdin ki bunu–, yalnızca artık söze dönüşen iradeydi, tek tek binlerce günün şimdi bir bütün halinde bütün engelleri aşan özlemiydi. Ama ne olursa olsun, etkilendiğin kesindi, seni ilgilendirmeye başlamıştım. Yürüdüğümüz sırada senin, konuşmalarımız sırasında yandan süzerek, beni bir biçimde hayretle tartmakta olduğunu da hissettim. Duyguların, insana ait her konuda onca sihirli bir biçimde kendinden emin olan duyguların yanındaki bu kızda hemen bir olağandışılığın, bir sırrın kokusunu almıştı. Meraklı yanın uyanmıştı ve sorularının kuşatıcı ve ipucu bulmaya yönelik ifadesinden nasıl o sırra ulaşmak peşinde olduğunun farkına varmıştım.

Senin dairene çıktık. Sevgilim, bu çıkışın, bu merdivenlerin benim için ne anlama geldiğini, nasıl bir sarhoşluk, nasıl bir karmaşa, nasıl delice, acı verici, neredeyse öldürücü bir mutluluk olduğunu anlayamayacağını söylersem, beni bağışlamanı dilerim. Bütün bunları şimdi bile neredeyse gözlerim yaşarmadan düşünemiyorum ve artık gözyaşım da hiç kalmadı. Ama şunu yalnızca hissetmeye çalış: oradaki her nesne sanki tutkumla doluydu, çocukluğumun, özlemimin simgesiydi: apartmanın önünde seni binlerce defa beklediğim kapısı, hep senin ayak seslerine kulak verdiğim ve seni ilk defa gördüğüm merdivenler, bütün ruhumla baktığım göz deliği, daire kapının önünde duran ve bir zamanlar üstüne diz çökmüş olduğum paspas, anahtarın kilidin içerisinde dönmesinden çıkan ve beni hep yattığım pusudan sıçratmış olan ses. Bütün bir çocukluğum, bütün tutkum işte orada, o birkaç metrelik yerde yuvalanmıştı, orası benim bütün hayatımdı ve şimdi bu hayat bir fırtına gibi üstüme çökmekteydi, çünkü arzulanan her şey, ama her şey gerçekleşmişti ve ben seninle yürüyordum, senin evindeydim, bizim evimizdeydim. Düşün ki –biliyorum, kulağa çok sıradan geliyor, ama başka nasıl söylenir bilmiyorum–, kapına kadar uzanan her şey bütün bir hayat boyunca sadece gerçeklikti, bulanık bir günlük dünyaydı, kapından sonra ise çocuğun büyülü dünyası, Alâeddin'in ülkesi başlıyordu, düşün ki, şimdi sendeleyerek geçtiğim bu kapıya daha önce belki bin defa yanan gözlerle bakmıştım ve işte ancak o zaman çökmekte olan o dakikanın hayatımdan neleri alıp götürdüğünü sezebilirsin –ama, dediğim gibi, yalnızca sezebilirsin, fakat asla bütünüyle bilemezsin, sevgilim.

O akşam bütün gece sende kaldım. Daha önce hiçbir erkeğin bana dokunmadığını, bedenimi hissetmediğini veya görmediğini sezmedin. Fakat nasıl sezebilirdin ki, sevgilim, çünkü sana hiçbir biçimde karşı koymadım, utangaçlıktan kaynaklanabilecek her türlü çekingenliği bastırdım ve bunu da sana olan aşkımın, eğer bilseydin, hiç kuşkusuz seni ürkütecek olan sırrını öğrenemeyesin diye yaptım –çünkü sen, yalnızca kolay, oyun gibi ve ağırlıktan yoksun olanı seversin, bir kadere müdahale etmekten korkarsın. Kendini israf etmektir senin istediğin, herkese, dünyaya ve herhangi bir kurban istemezsin. Şimdi kalkıp kendimi sana bir bakire olarak verdiğimi söylersem, yalvarırım beni yanlış anlama! Çünkü seni suçlamıyorum, sen beni ne kendine çektin, ne yalanlarla aldattın ne de baştan çıkardın –ben, evet ben kendimi sana zorladım, kucağına attım, kaderime attım. Seni asla, ama asla suçla-

mayacağım, hayır, yalnızca sana hep teşekkür edece-
ğim, çünkü o gece benim için inanılmaz ölçüde zengin,
hazzın parıltılarıyla dolu ve mutluluktan uçurucuydu.
Karanlıkta gözlerimi açtığımda ve seni yanımda hisset-
tiğimde, yıldızların üzerimde olmadığına hayret ettim,
gökyüzü öylesine yakınımdaydı –hayır, asla pişman
olmadım sevgilim, o saatlerden ötürü asla pişman-
lık duymadım. Hâlâ hatırlıyorum: sen uyuduğunda,
senin nefesini duyduğumda, bedenini hissettiğimde ve
kendimi sana onca yakın bulduğumda, mutluluktan
karanlıkta ağladım.

Sabahleyin erken gitmekte ısrarcıydım. İşe gitmek
zorundaydım ve ayrıca uşağın gelmeden ayrılmak isti-
yordum: o beni görmemeliydi. Giyindikten sonra senin
önünde durduğumda, beni kollarına aldın, bana uzun
uzun baktın; bir hatırlayıştı içinde dalgalanan, karan-
lık ve uzak bir hatırlayış ya da duyduğum mutluluktan
ötürü sana yalnızca güzel mi görünmüştüm? Sonra
beni dudaklarımdan öptün. Hafifçe senden ayrıl-
dım ve gitmek istedim. O zaman şöyle sordun bana:
"Giderken yanına birkaç çiçek almak ister misin?" Ben
evet dedim. Yazı masasının üstündeki mavi vazodan
dört tane beyaz gül çıkardın (ah evet, onları çocuk-
luğumdaki o tek hırsızlama bakıştan tanıyordum) ve
bana verdin. Onları günlerce öptüm.

Daha önce bir başka akşam buluşmayı kararlaştır-
mıştık. Geldim, ve her şey yine olağanüstüydü. Bana
üçüncü bir gece daha armağan ettin. Sonra yolculuğa
çıkmak zorunda olduğunu söyledin –ah, bu yolculuk-
lardan çocukluğumdan beri nasıl nefret ederdim, bir
bilsen!– ve döndükten hemen sonra beni arayacağına
söz verdin. Sana bir poste restante adres verdim –adımı

söylemek istemiyordum. Sırrımı koruyordum. Veda ederken bana yine birkaç gül verdin –veda yerine.

İki ay boyunca her gün sordum ... fakat hayır, bekleyişlerden, çaresizlikten kaynaklanan bu cehennem azabını sana anlatmamın bir anlamı yok. Seni suçlamıyorum. Seni sen kim isen o olarak seviyorum, sıcakkanlı ve çabuk unutan, kendini veren ve sadık kalmayan, seni yalnızca her zaman kim idiysen ve şimdi de hâlâ kimsen o halinle seviyorum. Çoktandır dönmüştün, bunu aydınlanmış pencerelerini görünce anlamıştım ve bana yazmamıştın. Senden elimde tek bir satır yok şu son saatlerimde, hayatımı vermiş olduğum insandan tek bir satır bile yok. Bekledim, çaresizlik içinde kalmış biri gibi bekledim. Ama sen beni çağırmadın, tek bir satır yazmadın ... bir tek satır bile...

Çocuğum dün öldü –o, aynı zamanda senin de çocuğundu. Evet, senin de çocuğundu, sevgilim, o üç geceden birinin çocuğuydu, sana yemin ederim ve insan, ölümün gölgesi üzerine düşmüşse eğer, artık yalan söylemez. O, bizim çocuğumuzdu, sana yemin ederim, çünkü kendimi sana verdiğim saatlerden çocuğumun bedenimden çıkarıldığı saate kadarki zaman boyunca bana hiçbir erkeğin eli değmedi. Ben, senin dokunuşunla kendi gözümde kutsanmıştım: bu durumda kendimi benim için her şey olmuş olan seninle, hayatıma yalnızca şöyle bir değip geçmiş olan başkaları arasında nasıl paylaştırabilirdim? O, bizim çocuğumuzdu, sevgilim, benim bilinçli aşkımın ve senin umursamaz, müsrif, neredeyse bilincinde olmadığın sevecenliğinin çocuğuydu, evet, bizim çocuğumuzdu, bizim oğlumuzdu, bizim tek çocuğumuzdu. Fakat şimdi soruyorsun –belki ürkmüş olarak, belki de yalnızca hayretle– soruyorsun şimdi, sevgilim, onca uzun yıllar boyunca bu çocuğu neden sakladığımı ve ondan neden ilk kez bugün söz ettiğimi soruyorsun, o burada uyurken, artık sonsuz bir uykuya dalmışken, artık gitmeye ve bir daha asla geri dönmemeye hazırken, evet, asla!

Fakat sana nasıl söyleyebilirdim ki? Benim gibi yabancı bir kadının, üç gecenin aşırı hararetli gönüllüsünün, kendini sana hiç karşı koymaksızın, dahası tutkuyla açmış olan kadının, gelip geçici bir karşılaşmanın adsız kadınının sana, senin gibi sadakat nedir bilmeyen bir erkeğe sadık kaldığına asla inanmazdın –bu çocuğu hiç kuşku duymaksızın senin çocuğun olarak asla tanımazdın! Sözlerim sende böyle bir ihtimalin bulunduğu izlenimini yaratsaydı bile, varlıklı biri olan sana bir yabancıyla yaşanmış saatlerden olma bir çocuğu kabul ettirmeye çalıştığıma ilişkin gizli kuşkuyu içinden asla atamazdın. Bana hep kuşkuyla bakardın, seninle aramızda bir güvensizliğin boşlukta kanat çırpan, ürkek gölgesi varlığını hep korurdu. Böyle bir şeyin olmasını istemedim. Ve ayrıca, seni tanıyorum; belki kendi kendini tanımadığın kadar iyi tanıyorum, biliyorum, aşkta kaygısızlığı, kolaylığı, oyunsu yanı seven sana, ansızın baba olmak, ansızın bir kaderin sorumluluğunu taşımak nahoş gelirdi. Sen ki, ancak özgürken nefes alabilen birisin, kendini bana herhangi bir biçimde bağlanmış hissederdin, benden –evet, biliyorum, kendi uyanık iradene rağmen yapardın bunu– evet, benden bu bağlılık durumundan ötürü nefret ederdin. Belki sadece birkaç saat için, belki sadece geçici birkaç dakika için bile olsa, senin nefretinin hedefi olurdum –oysa gururum gereği benim istediğim, beni bütün bir hayat boyunca hiçbir kaygı duymaksızın düşünmendi. Sana yük olmaktansa her şeyi kendim üstlenmek ve hayatındaki bütün kadınlar arasında hep sevgiyle, hep şükranla hatırladığın tek kadın olmak istiyordum. Ama sen, elbette beni hiç düşünmedin. Beni unuttun.

Seni suçlamıyorum sevgilim, hayır, seni suçlamıyorum. Bağışla beni, eğer kalemimin mürekkebine arada sırada bir damla acı da karışıyorsa, evet, bağışla –çünkü çocuğum, bizim çocuğumuz hemen şuracıkta, mumların titreyen ışıkları altında ölü yatıyor; Tanrı'ya yumruklarımı sıktım ve ona katil dedim, duygularım bulanık ve karmakarışık. Bağışla yakınmamı, ne olur bağışla! Zira senin iyi bir insan olduğunu, yüreğinin en derin noktasında hep yardıma hazır olduğunu biliyorum. Sen herkese yardım edersin, istediği takdirde sana en yabancı olana bile. Ama çok tuhaf bir iyilik seninkisi, herkese açık olan, böylece de isteyenin ellerine sığdırabileceği kadarını alabileceği bir iyilik; büyük, sonsuz büyük senin iyiliğin, fakat aynı zamanda da –affına sığınarak söylüyorum– tembel bir iyilik. Uyarılmak istiyor, gelip alsınlar istiyor. Sen, ancak yardıma çağrıldığında, senden istendiğinde yardım ediyorsun, hoşlandığın, zevk aldığın için değil fakat utancından, zayıflığından ötürü yardım ediyorsun. Sen –izin ver de açıkça söyleyeyim bunu– sıkıntı ve acı içindeki insanı mutlu olan kardeşlerine yeğlemiyorsun. Ve senin gibi insanlardan, hatta onların en iyilerinden bile bir şey istemek zordur. Bir defasında, henüz çocukken, kapıdaki göz deliğinden zilini çalmış olan dilenciye bir şey verdiğini görmüştüm. Ona hemen ve hatta fazlaca verdin, o daha senden istemeye fırsat bulamadan verdin, fakat bunu belli bir tedirginlikle ve çabucak yaptın, korkudan yaptın, çekip gitsin diye, sanki onun gözlerini görmekten korkuyordun. Senin bu tedirgin, ürkek, teşekkürden kaçan yardım ediş tarzını hiçbir zaman unutmadım. Ve bu yüzdendir ki, hiçbir zaman sana başvurmadım. Elbette biliyorum, o zamanlar beni çocuğun senden olduğuna emin olmasan da desteklerdin. Beni teselli eder, para verirdin, hem de fazlasıyla, ama bunu hep seni rahatsız edeni kendinden uzaklaştırmanın gizli sabırsızlığıyla yapardın; hatta öyle sanıyorum ki, beni çocuğu aldırmam için razı da ederdin. Ve aslında en korktuğum şey buydu –çünkü istediğin bir şeyi yapmamayı, senden esirgemeyi başaramazdım! Fakat o çocuk benim için her şey demekti, çünkü sendendi, ikinci bir Sen'di, ama aynı zamanda da artık Sen değildi, yani o mutlu, o kaygısız, elimde tutmayı artık başaramadığım Sen değildi, onun yerine –böyle düşünüyordum– her zaman için bana verilmiş olan Sen'di, bedenimin mahpusuydu, hayatıma sımsıkı bağlıydı. Şimdi artık sonunda seni yakalamıştım, seni, hayatının gittikçe serpilip geliştiğini damarlarımda hissedebiliyordum, seni besleyebiliyor, susuzluğunu giderebiliyordum, ruhumda yakıcı bir arzu uyandığında seni okşayabilir, öpebilirdim. Görüyor musun sevgilim, işte bu yüzen çok mutlu olmuştum senden bir çocuğum olacağını anladığımda, bunu o yüzden senden saklamıştım: çünkü şimdi artık benden kaçamazdın.

Yaşadıklarım, elbette sadece düşüncelerimde önceden hissetmiş olduğum mutluluk dolu aylar değildi sevgilim, aynı zamanda da korku ve acılarla dolu, insanların alçaklıkları karşısında duyduğum tiksintiyle dolu aylardı. Hayatım kolay değildi. Hamileliğim akrabaların dikkatini çekmesin ve böylece onlar da eve, aileme haber vermesinler diye, son aylarda işe gidememiştim. Annemden para istemek istemiyordum –bu yüzden doğuma kadarki dönem boyunca geçimimi elimde bulunan az sayıda takıyı satarak kıt kanaat sağladım. Doğumdan bir hafta önce bir çamaşırcı kadın dolabımda kalan son birkaç kuruşu da çaldı, bu yüzden bir devlet doğumevine gitmek zorunda kaldım. Sadece en yoksulların, toplum dışına atılmış ve unutulmuş olanların çaresiz kaldıklarında gittikleri o kurumda, orada, yani yoksulluğun döküntülerinin ortasında, çocuk, senin çocuğun doğdu. Ancak ölünecek bir yerdi orası, yabancı, yabancı, yabancıydı her şey, bizler, yani orada yatanlar da birbirimize yabancıydık, yapayalnızdık ve her birimiz ötekilere karşı nefret doluyduk, o karanlık, kloroform ve kanla, çığlıklarla ve inlemelerle tıka basa dolu olan salona bizi aynı yoksulluk ve aynı acılar fırlatıp atmıştı. Yoksulluğun aşağılanmadan, ruhsal ve bedensel utançtan yana maruz kalabileceği ne varsa hepsinin acısını orada, fahişelerin ve hastaların kader ortaklığını ortak bir bayağılığa dönüştürmeleriyle, genç erkek doktorların dudaklarında ironi ifadesi taşıyan bir gülümsemeyle savunmasız kadınların üstlerindeki örtüleri sıyırıp düzmece bir bilimsel tavırla ellerken sergiledikleri sinizmleriyle, hastabakıcıların açgözlülükleriyle fazlasıyla çektim –ah, evet, orada insanın utanması bakışlarla çarmıha gerilir ve sözcüklerle kırbaçlanır. Senden geriye yalnızca üzerinde adının yazılı olduğu tablet kalmıştır, çünkü yatakta yatan, sadece meraklı ellerin yokladığı, titreyen bir et parçasıdır, bakışların ve incelemelerin nesnesidir –ah, evet, sevecenlikle bekleyen kocalarına onun evinde çocuklar armağan eden kadınlar, yalnız başına, savunmasız haldeyken, adeta denemelerin yapıldığı bir masada bir çocuk doğurmanın ne demek olduğunu bilmezler! Ve bugün bile bir kitapta cehennem sözcüğünü okuduğumda, hâlâ ansızın o içinde acılar çektiğim, tıka basa dolu, buharı tüten, inlemelerden, kahkahalardan ve kanlı çığlıklardan geçilmeyen salonu, o utanç mezbahasını hatırlarım.

Bağışla, bağışla beni sadece bu defaya mahsus olmak üzere yapıyorum, bir daha asla, asla yapmayacağım. Bu konuda on bir yıl boyunca sustum ve pek yakında artık sonsuza kadar susmuş olacağım; ama bir defa olsun haykırmak, evet, bütün mutluluğum olmuş olan ve şimdi şuracıkta artık nefes almadan yatan çocuğun bedelini ne kadar ağır ödediğimi bir defa olsun anlatmak zorundaydım. Oysa unutmuştum o saatleri, çocuğumun gülüşleriyle ve sesiyle, mutluluğumun içinde çoktandır unutmuştum; ama şimdi, o öldüğü için, acı tekrar canlanıyor, ve ben onu haykırarak ruhumdan çıkarmak zorundaydım, bu defalık, sadece bu defa için. Fakat sen değilsin suçladığım, yalnızca Tanrı'yı, yalnızca bu acıyı onca anlamsız kılmış olan Tanrı'yı suçluyorum, sana yemin ederim ve öfkelendiğim için sana karşı dikleştiğim asla olmadı. Bedenimin sancılar içinde kıvrandığı, tıp öğrencilerinin insanı delen bakışlarının altında utançtan yandığı saatlerde bile, hatta acının ruhumu paramparça ettiği anda bile seni Tanrı'nın önünde suçlamadım; o gecelerden dolayı asla pişmanlık duymadım ve sana olan aşkımı asla azarlamadım, seni hep sevdim ve benimle karşılaştığın anı hep kutsadım. Ve bir defa daha o saatlerin cehennemini yaşamak zorunda kalsaydım, ve beni neyin beklediğini önceden bilseydim de, yapmış olduklarımın hepsini yine yapardım, sevgilim, bir defa daha, binlerce defa yapardım.

Çocuğumuz dün öldü –sen onu asla tanımadın. Hiçbir zaman, rastlantı sonucu gerçekleşen kısacık karşılaşmalarda bile bu çiçek gibi açan, küçücük canlı, senin yarattığın canlı, şöyle bir gelip geçerken dahi olsa senin bakışların tarafından hiçbir zaman okşanmadı. Bu çocuğu doğurur doğurmaz senden uzun süre saklandım; sana duyduğum özlem artık daha az acıtır olmuştu, hatta sanırım seni de eskisinin gerisinde kalan bir tutkuyla seviyordum, en azından, bu çocuk bana armağan edileli beri aşkım artık eskiye oranla daha az acı veriyordu. Kendimi seninle onun arasında pay etmek istemiyordum; bu yüzden kendimi sana, hayatını bana aldırmadan yaşayan erkeğe değil, fakat bana muhtaç olan, beslemek zorunda olduğum, öpebildiğim ve sarılabildiğim bu çocuğa adadım. Senden kaynaklanan tedirginliğimden, kötü kaderimden kurtulmuş gibiydim, bu öteki farklı Sen sayesinde, hakikatte bana ait olan Sen sayesinde –artık ender, hem de çok ender olarak duygularıma kapılıp evine yaklaşıyordum: sadece tek bir şeyi yapmaya hep devam ettim, yaş günlerinde sana hep bir demet beyaz gül yolladım, hani o zamanlar, o ilk aşk gecemizden sonra bana hediye ettiklerinin tıpatıp aynısı olanlardan. Geçen on-on bir yıl boyunca kendine onları kimin gönderdiğini sorduğun oldu mu hiç? Bir zamanlar bu güllerden armağan etmiş olduğun kişiyi hiç hatırladın mı? Bunu bilmiyorum ve cevabını da hiç bilmeyeceğim. O gülleri sana yalnızca karanlığın içinden uzatmak, yılda bir

defa olsun o zaman parçasına ait anıları tazelemek
–bu, benim için yeterliydi.

Sen hiçbir zaman tanımadın bizim zavallı çocuğu-
muzu –bugün kendimi suçluyorum onu senden sakla-
dığım için, çünkü onu severdin. Evet, o zavallı çocuğu
hiç tanımadın, gözkapaklarını hafifçe açtığında ve
sonra o koyu renkli, akıllı bakışlı gözleriyle –senin göz-
lerinle!– bana, bütün dünyaya neşeli ve pırıl pırıl ışıklar
gönderdiğinde nasıl gülümsediğini hiç görmedin. Ah,
öyle neşeli, öyle sevimli bir çocuktu ki! Senin benliğinin
bütün hafifliği onda çocukça yinelenmişti, hızlı çalışan,
canlı hayal gücün onda yenilenmişti; tıpkı senin hayat-
la oynadığın gibi, o da saatlerce âşık olmuşçasına her
şeyle oynayabilir ve ardından kaşlarını kaldırıp bütün
ciddiyetiyle kitaplarının başına geçebilirdi. Zamanla
gittikçe daha çok Sen'leşti; son zamanlarda onun kişili-
ğinde de o sana özgü olan ciddiyet ve oyun eğilimi ken-
dini gözle görülebilir biçimde belli etmeye başlamıştı
ve sana benzedikçe onu daha çok sevdim. Derslerini
iyi öğreniyordu, çenesi düşük küçük bir saksağan gibi
Fransızca gevezelik edebiliyordu, defterleri sınıfın en
temiz defterleriydi ve bu arada siyah kadife giysisi veya
minik beyaz denizci ceketi içerisindeki şıklığıyla inanıl-
maz hoştu. Nereye giderse gitsin herkesin içinde en şık
olanıydı; Grado'da birlikte sahile indiğimizde, kadınlar
dururlar ve onun uzun sarışın saçlarını okşarlardı,
Semmering'de kızakla dolaştığında herkes hayranlıkla
dönüp ona bakardı. İşte bu kadar hoş, zarif ve uysal
bir çocuktu: Son yıl Theresianum'un yatılı bölümünde
okula başladığında, üniformasını ve küçük kılıcını on
sekizinci yüzyılda kralın himayesinde olan bir çocuk
gibi taşıyordu –şimdi ise biraz ötede solgun dudak-

larıyla ve birbirine kavuşturulmuş elleriyle yatmakta olan o çocuğun üstünde küçücük geceliğinden başka bir şey yok.

Fakat sen şimdi bana belki de çocuğu nasıl böyle bir lüks içinde yetiştirebildiğimi, ona seçkinlerin dünyasına özgü bu aydınlık ve neşeli hayatı nasıl sağlayabildiğimi soruyorsundur. Sevgilim, sana karanlıkların içinden sesleniyorum; utanç duymuyorum, bunu sana söylemek istiyorum, fakat sakın korkma sevgilim –kendimi sattım. Tam olarak sokak kızı veya fahişe diye nitelendirilenlerden olmadım, ama kendimi sattım. Zengin erkek arkadaşlarım, zengin sevgililerim oldu; önce ben onları aradım, daha sonra da onlar beni aradılar, çünkü –bilmem farkına vardın mı hiç?– çok güzeldim. Kendimi verdiğim her erkek bana bağlanıyordu, hepsi de bana teşekkür ettiler, bana bağlandılar, beni sevdiler –yalnızca sen, evet sevgilim, yalnızca sen beni sevmedin!

Kendimi sattığımı itiraf ettiğim için şimdi benden nefret mi ediyorsun? Hayır, biliyorum, nefret etmiyorsun, biliyorum, her şeyi anlıyorsun ve bunu yalnız senin için, senin öteki Ben'in için, senin çocuğun için yapmış olduğumu da anlayacaksın. Bir zamanlar o doğumevinin bir koğuşunda yoksulluğun korkunç yanıyla tanışmıştım; bu dünyada yoksul insanın hep ezilen, aşağılanan, kurban edilen insan olduğunu biliyordum ve senin çocuğunun, senin o aydınlık yüzlü, güzel çocuğunun aşağılarda, sokağın buharları, çöplükleri, bayağılıkları arasında, bir binanın avluya bakan odasının kirli havasında büyümesini istemiyordum, ne pahasına olursa olsun, bunu kabullenemezdim. İncecik dudakları sokakların diliyle, bembeyaz bedeni yoksulluğun o uyduruk çamaşırlarıyla tanışmamalıydı –senin çocuğun her şeye sahip olmalıydı, yeryüzünün bütün zenginliklerine ve rahatına kavuşmalıydı ve böylece tekrar sana, hayatın sana ait olan alanına yükselebilmeliydi.

İşte bu yüzden, sadece bu yüzden, sevgilim, kendimi sattım. Bu, benim için bir fedakârlık değildi, çünkü insanların genellikle onur ve ayıp diye adlandırdıkları, benim gözümde önem taşımıyordu; sen, yani bedenimle ait olduğum tek insan olan sen, beni sevmiyordun, o yüzden bedenime ne olacağı artık umurumda değildi. Erkeklerin sevişmeleri, hatta en içten gelen tutkuları bile iç dünyamın derinliklerini etkilemiyordu, oysa onların aralarından bazılarına elimde olmaksızın çok saygı duydum ve kendi kaderimi hatırlarken onların karşılık görmemiş sevgilerine duyduğum merhamet yüzünden çoğu zaman sarsıldım. Tanıdığım erkeklerin hepsi bana iyi davrandılar, şımarttılar ve saygı duydular. Aralarında özellikle biri vardı, yaşlıca ve karısı ölmüş olan bir konttu, babasız çocuğun, senin çocuğunun Theresianum'a alınabilmesini sağlayıncaya kadar çalmadığı kapı kalmadı –beni de kızı gibi seviyordu. Üç defa, dört defa bana evlenme teklifinde bulundu –yani bugün bir kontes olabilirdim, Tirol bölgesinde, masallardaki gibi bir şatonun hanımefendisi olarak hiçbir sıkıntı çekmeden yaşayabilirdim, çünkü o zaman çocuğun kendisini deli gibi seven, şefkatli bir babası, benim yanımda da sessiz, soylu, iyi yürekli bir kocam olurdu– ama kontun bütün ısrarlarına rağmen, ret cevabımla ona çok acı vermeme rağmen, yapamadım. Belki de bu bir delilikti, çünkü aksi takdirde şimdi bir yerlerde sakin ve güvenlik içinde yaşıyor olacaktım ve sevilen çocuğum da benimle birlikte olacaktı, fakat

–bunu sana itiraf etmekten neden kaçınayım ki– kendimi bağlamak istemiyordum, senin için her zaman özgür kalmak istiyordum. İçimin derinliklerinde, benliğimin bilinçaltında hâlâ o eski çocukluk hayalim yaşamaktaydı, belki de günün birinde beni, yalnızca bir saat için bile olsa yanına çağırabilirdin. Ve sadece ihtimal olan bu bir saat uğruna her şeyi geri çevirdim, sırf ilk çağırışında özgür olabilmek için. Zaten çocukluktan uyanışımdan beri bütün hayatım bir bekleyişten, senin iradeni bekleyişten başka neydi ki!

Ve sonunda o saat, gerçekten de gelip çattı. Ama sen bunu bilmiyorsun. Sezmiyorsun bile sevgilim! O saat yaşanırken bile beni tanımadın –zaten beni asla, asla, ama asla tanımadın! Çünkü daha önce de sana sıkça rastlamıştım, tiyatrolarda, konserlerde, lunaparkta, sokakta, her defasında yüreğim ağzıma gelmişti, fakat bakışların hep yanımdan geçip gitmişti. Çünkü dış görünüşüm açısından artık çok farklı biriydim, eski ürkek çocuk, yerini artık bir kadına bırakmıştı, dediklerine göre güzel olan, hep pahalı elbiseler giyen, etrafı hayranlarla çevrili bir kadına: bu durumda benim bir zamanlar yatak odanın puslu ışığındaki o ürkek genç kız olduğumu nasıl tahmin edebilirdin! Bazen birlikte olduğum beylerden biri sana selam verirdi, sen teşekkür ederdin ve bana da bakardın; fakat bakışların sadece kibar bir yabancılıktı, saygı duyan, ama asla tanımayan, yabancı, korkunç yabancı bakışlardı. Bir defasında, hâlâ hatırlıyorum, artık neredeyse alışmış olduğum bu tanımayış içimi yakıp kavuran bir acıya dönüşüverdi: operanın locasında erkek arkadaşımla oturuyordum ve sen de komşu locadaydın. Uvertürün başlamasıyla birlikte ışıklar sönmüştü, yüzünü artık göremiyordum, yalnızca nefesini o ilk gecedeki kadar yakınımda hissediyordum ve elini localarımızın kadife kaplı parmaklığına dayamıştın, o ince, zarif elini. Ve içimde, sevecen sarılışını bir zamanlar hissettiğim, onca âşık olduğum bu yabancı eli eğilip öpmek için bir arzu uyandı. Müzik, etrafımdaki müzik hep daha büyük duygu fırtınaları yaratarak dalgalanıyordu, içimdeki arzu gittikçe daha tutkulu bir hal almaktaydı, kendimi kasmak, zorla geri çekmek durumunda kaldım, dudaklarımı o sevilen eline çeken güç çok büyüktü. Birinci perdeden sonra arkadaşımdan çıkıp gitmemizi rica ettim. Karanlıkta seni bu kadar yabancı ve bir o kadar da yakınımda hissetmeye daha fazla dayanamadım.

Ama o saat gelip çattı, bir defa daha, son bir defa daha yıkıntılar altındaki hayatıma geldin. Bundan, neredeyse tam bir yıl önce, senin yaş gününden sonraki gündü. Tuhaftı: bütün o saatler boyunca seni düşünmüştüm, çünkü senin yaş gününü hep bir bayram günü gibi yaşardım. Sabahın erken saatlerinde çıkıp beyaz gülleri satın almış ve her yıl yaptığım gibi, senin unuttuğun bir saatin anısına sana yollatmıştım. Öğlenden sonra oğlumla birlikte çıktım, onu Demel Pastanesi'ne, akşam da tiyatroya götürdüm, çünkü onun da bu günü, anlamını bilmeksizin, gençliğinden itibaren esrarlı bir bayram günü gibi kutlamasını istiyordum. Ertesi günü o zamanki erkek arkadaşım olan, Brünn'lü genç ve zengin bir fabrikatörle buluştum; iki yıldır birlikteydik; bana tapıyor, şımartıyor ve daha öncekiler gibi evlenmek istiyordu; oğlumu ve beni armağanlara boğmasına, biraz körü körüne aşkıyla da sevimli olmasına rağmen, ötekilere yaptığım gibi ona da hep ret cevabı veriyordum. Birlikte konsere gittik, orada neşeli bir grupla karşılaştık, Ringstrae'deki bir restoranda akşam yemeğini yedik ve daha sonra ben, kahkahaların ve konuşmaların arasında, dans edilebilen bir lokale, Tabarin'e de gitmemizi önerdim. Normalde alkollü ve yapmacık bir neşe atmosferiyle dolu olan böyle yerleri, gece kuşlarının mekân edindikleri her yer gibi itici bulurdum ve böyle önerilere hep karşı çıkardım, fakat bu defa –öneriyi ansızın ve farkına varmaksızın ötekilerin neşeli onaylarıyla mayalanan bir ortamda dile getirmeye beni zorlayan şey, içimden yükselen, kaynağı açıklanamaz ve sihirli bir güç olmuştu– sanki orada beni özel bir şey bekliyormuşçasına, içimde açıklanamaz bir arzu belirivermişti. Herkes benim suyuma gitme alışkanlığıyla hemen ayaklandı, o lokale gittik, şampanya içtik ve içimde bir anda daha önce hiç tanımadığım, bütünüyle çılgınca, neredeyse acı verici bir neşe doğdu. İçtim, içtim, birbirinden bayağı şarkılar söylenirken ben de katıldım ve dans edip coşmaya kendimi neredeyse zorunlu hissettim. Ama ansızın –sanki yüreğime buz gibi veya kor sıcaklığında bir şey yapışıvermişti– sarsılıverdim: yanımızdaki masada sen, birkaç arkadaşınla birlikte oturuyordun ve bana hayranlıkla, aynı zamanda da istediğini belli eder biçimde bakıyordun, bu, hayatımı her zaman altüst etmiş olan bakışlarından biriydi. On yıldan beri ilk defa bana yine benliğinin bütün o bilinçaltından kaynaklanan tutkusunun gücüyle bakmaktaydın. Olduğum yerde titredim. Havaya kaldırdığım kadehim neredeyse elimden düşecekti. Neyse ki masadakiler içine yuvarlandığım kargaşayı fark etmediler: kargaşa, kahkahaların ve müziğin gürültüsü içerisinde kaybolup gitti.

Bakışın gittikçe daha yakıcı bir hal alıyor ve beni sanki bütünüyle alevlerin içine atıyordu. Ama bilemiyordum: sonunda, evet, en sonunda tanımış mıydın beni, yoksa yeni, başka, yabancı bir kadın olarak mı tutkuyla istiyordun? Yanaklarımı kan basmıştı, masadaki arkadaşlarıma dalgınlıkla birtakım cevaplar veriyordum: Bakışın yüzünden kafamın ne kadar karıştığını herhalde fark etmiştin. Yanındakilere belli etmeden baş hareketiyle bana bir işaret verdin ve dışarıya, hole çıkmaya davet ettin. Sonra göze çarpar bir biçimde hesabı ödedin, arkadaşlarına veda ettin ve çıktın; ama bu arada bana dışarıda bekleyeceğini söyleyen bir işaret vermeyi de ihmal etmedin. Soğuktan donuyormuşum veya ateş nöbeti geçiriyormuşum gibi titriyordum, artık ne bir cevap verebiliyor ne de kamçılanmış olan kanımı yatıştırabiliyordum. Rastlantı sonucu tam da o anda siyah bir çift, yere vurulan topuklarla ve tiz çığlıklarla iğrenç bir dans sergilemeye başladı: Herkes bakışlarını onlara dikmişti ve ben de o andan yararlandım. Ayağa kalktım, erkek arkadaşıma hemen döneceğimi söyledim ve senin arkandan gittim.

Dışarıda, gardırobun önündeki holde durmuş beni bekliyordun: Yaklaştığımda bakışların aydınlandı. Gülümseyerek hızla yaklaştın; hemen anladım, beni tanımamıştın, bir zamanlarki çocuk ve genç kız olarak tanımamıştın, bir defa daha yeni biri, bilinmeyen biri olarak el uzatıyordun. "Benim için de bir saatiniz var mı?" diye sordun belli bir mahremiyet ifadesiyle –kendinden emin oluş tarzından, o kadınlardan, bir akşamlık satılık olan kadınlardan biri kimliğiyle çağırdığını anlamıştım. "Evet," dedim, bu, genç kızın sana on yıldan fazla bir zaman önce alacakaranlığın basmakta olduğu bir sokakta titreyerek, ama çok doğalmışçasına verdiği evet cevabının aynıydı. "Peki ne zaman görüşebiliriz?" diye sordun. "Siz ne zaman isterseniz," dedim –senin yanında herhangi bir utanç duymuyordum.

Bana biraz hayretle baktın, bu, bir zamanlar karar verişimin çabukluğu yine seni hayrete düşürdüğünde yönelttiğin o hem kuşku hem de merak ifadesi taşıyan bakışın aynıydı. "Şimdi olabilir mi?" diye sordun biraz tereddüt ederek. "Evet," dedim, "gidebiliriz."

Paltomu almak için gardıroba gitmek istedim.

Fakat o anda, birlikte verdiğimiz paltoların gardırop fişinin erkek arkadaşımda olduğu aklıma geldi. Geri dönmek ve fişi istemek, ayrıntılı açıklama yapmaksızın mümkün değildi, öte yandan yıllardır özlemini çekmiş olduğum seninle geçecek bir saati feda etmek de istemiyordum. O yüzden bir an bile tereddüt etmedim: gece elbisemin üzerine yalnızca şalımı aldım ve dışarıya, sisin nemini taşıyan geceye çıktım, paltoma aldırmadım, yıllardır geçimimi sağlayan iyi yürekli, sevecen insana da aldırmadım; oysa arkadaşlarının önünde onu düşünülebilecek en budala biri yerine, sevgilisi yıllar sonra yabancı bir erkeğin ilk ıslık çalışıyla birlikte kendisinden kaçmış olan birisi yerine koymuştum. Ah, evet, dürüst bir erkek arkadaşa karşı yaptığım alçaklığın, vefasızlığın, utanmazlığın bütünüyle bilincindeydim, gülünç davrandığımı ve iyi bir insanı bundan böyle kalıcı biçimde ölesiye kırmış olduğumu hissediyordum, hayatımı tam ortasından kesip ikiye ayırıverdiğimi hissediyordum, fakat bir defa daha dudaklarını hissedebilmenin, bana söyleyeceğin o ısıtıcı sözcükleri duyabilmenin karşısında arkadaşlığın ve kendi hayatımın hiçbir değeri yoktu. İşte seni böyle

sevdim, şimdi bunu sana söyleyebilirim, çünkü artık
her şey bitti ve geçmişe karıştı. Ve öyle sanıyorum ki,
beni ölüm döşeğimden çağırsaydın bile, yataktan kal-
kıp seninle gitme gücünü toplardım.

Kapının önünde bir araba duruyordu, evine gittik.
Sesini yeniden duydum, sevecen yakınlığını yeniden
hissettim ve tıpkı bir zamanlarki kadar uyuşmuş gibiy-
dim, çocukça bir mutluluk içerisindeydim. Aradan on
yıldan fazla zaman geçtikten sonra ilk defa o merdi-
venlerden tekrar nasıl çıktım –hayır, hayır, o saniyeler
boyunca hem geçmiş zamanı hem de şimdiki zamanı
nasıl birlikte yaşadığımı ve her şeyden ama her şeyden
önce seni nasıl yaşadığımı anlatmayı asla başaramam.
Odanda pek az şey değişmişti, birkaç resim daha vardı,
kitaplar fazlalaşmıştı, orada burada birkaç yabancı
eşya duruyordu, fakat hepsi de beni aşina bir ifadeyle
selamlıyorlardı. Ve masanın üstünde, içindeki güller-
le birlikte vazo duruyordu, onları bir gün önce, yaş
gününde yollamıştım sana; onlara rağmen hatırlama-
dığın, onlara rağmen tanımadığın birinin, şimdi bile, el
ele ve dudak dudağa senin yakınında olmasına rağmen
hatırlamadığın ve tanımadığın birinin hatırası olarak.
Fakat yine de güllere özen göstermiş olman bana iyi
gelmişti: böylece benliğimden soluk gibi bir esinti, aşkı-
ma ait bir nefes yakınındaydı.

Beni kollarına aldın. Bütün o muhteşem gece
boyunca yine seninle kaldım. Fakat beni çıplak bede-
nimden de tanımadın. O ustaca sevecenliklerini mut-
lulukla yaşadım ve gördüm ki, tutkun bir sevgili
ile para karşılığı satın alınabilen bir kadın arasında
ayrım yapmıyor ve sen kendini tutkuna, benliğinin
bütün o israfa yatkın zenginliğiyle hiç düşünmeksizin

adayabiliyorsun. Bana, gece kulübünden götürülme birine karşı son derece nazik, son derece içten bir biçimde saygılıydın, ama aynı zamanda da yanındaki kadının hazzına varmakta son derece coşkuluydun; eski mutluluktan başım dönmüş bir halde, benliğinin o yalnızca sana özgü ikili yapısını, yani çocuk yaşta birini bile senden bağımlı kılmış olan o şehvet içerisinde hem bilinci hem de tenselliği birleştirme özelliğini tekrar hissetmiştim. Daha önce hiçbir erkekte sevecenlik içerisinde kendini ana böylesine bir bırakışı, benliğin en derin noktasındaki böyle bir patlamayı ve parıltıyı yaşamamıştım –elbette bu hal, daha sonra sonsuz, neredeyse insanlığa aykırı denilebilecek bir unutuş içerisinde sönüp gidiyordu. Öte yandan ben de kendimi unutmuştum: şimdi, karanlıkta, senin yanında, kimdim ki ben? Bir zamanların o içi yanan çocuğu muydum, çocuğunun annesi miydim, yoksa bir yabancı mıydım? Ah, evet, o tutkulu gecede her şey öylesine bildik, öylesine yaşanmış ve öte yandan da öylesine baş döndürecek kadar yeniydi ki! Ve ben, o gecenin hiç son bulmaması için dua ettim.

Fakat sabah oldu, geç kalktık, sen beni kahvaltıyı da birlikte etmemiz için davet ettin. Birlikte, görünmeden hizmet eden bir elin yemek odasında hazırlamış olduğu çayı içtik ve biraz gevezelik ettik. Sen yine benliğinin bütün o açık ve yürekten sıcaklığıyla benimle konuştun ve yine bana hiçbir mahrem soru sormadın, ben olan kişiye karşı tamamen meraksızdın. Bana adımı, nerede oturduğumu sormadın: senin için tekrar yalnızca serüvendim, adsız olandım, unutuşun sisleri arasında bütünüyle eriyip giden ateşli saatlerdim. Bu defa çok uzaklara yolculuk yapacağını, iki veya üç ay için Kuzey Afrika'ya gideceğini anlattın; ben ise mutluğumun ortasında titredim, çünkü kulaklarımın içinde yankılanmaya başlamıştı bile: geçti, geçti gitti ve unutuldu! O anda en çok yapmak istediğim şey, önünde diz çöküp şöyle haykırmaktı: "Beni de yanına al, yanına al ki, nihayet, bunca yıldan sonra nihayet beni tanıyabilesin!" Ancak senin önünde öylesine ürkek, öylesine korkak, öylesine köle ruhlu ve zayıftım ki, sadece şöyle diyebildim: "Ne kadar yazık." Sen de bana gülümseyerek baktın: "Gerçekten üzülüyor musun buna?"

İşte o zaman sanki aniden vahşileştim. Ayağa kalktım, sana baktım, uzun süre ve gözlerimi senden ayırmadan baktım. Sonra şöyle dedim: "Benim âşık olduğum erkek de hep yolculuğa çıkardı." Sana baktım, doğrudan gözbebeklerine bakıyordum. "Şimdi, işte şimdi tanıyacak beni!" diye titreyip sarsılmaya başlamıştı içimde ne varsa. Fakat sen bana gülümsedin ve teselli etmek istercesine şöyle dedin: "Ama yolculuklardan geri dönülür." "Evet," diye cevap verdim, "geri dönülür, ama o zaman zaten artık unutulmuştur."

Sana bunları söyleyiş tarzımda itici, aşırı tutkulu bir şeyler olmalıydı. Çünkü sen de ayağa kalktın, şaşkın ve çok sevgi dolu olarak bana baktın. Omuzlarımdan tuttun: "İyi olan şey unutulmaz, seni unutmayacağım," dedin ve bu arada bakışların bütünüyle içime indi, sanki resmimi hafızana çizmek ister gibiydin. Ve bu bakışların içime girdiğini, araştırırcasına, hissedercesine, bütün benliğimi kuşatırcasına içime girdiğini hissettiğimde, sonunda, en sonunda körlüğün duvarlarının yıkıldığını sandım. Beni tanıyacak! Beni tanıyacak! Bütün ruhum, bu düşünceyle titriyordu.

Fakat sen beni tanımadın. Hayır, sen beni tanımadın, bana hiçbir zaman o anda olduğun kadar yabancılaşmadın, aksi takdirde –aksi takdirde birkaç dakika sonra yaptığını asla yapamazdın. Beni öpmüştün, bir defa daha tutkuyla öpmüştün. Karışan saçlarımı tekrar düzeltmek zorundaydım ve aynanın önünde dururken, aynadan –utançtan ve dehşetten olduğum yere çökeceğimi sandım– evet, aynadan, birkaç büyük kâğıt parayı belli etmeden manşonuma sıkıştırdığını gördüm. Acaba o anda çığlık atmamayı, sana tokat atmamayı nasıl başardım, bilemiyorum –bana, seni çocukluğundan beri seven, çocuğunun annesi olan bana, o gecenin karşılığında para ödemiştin! Tabarin'de bulduğun bir orospuydum senin için, yalnızca o kadar –ödemiştin, evet ödeme yapmıştın bana! Senin tarafından unutulmuş olmak yeterli değildi, bir de aşağılanmak zorundaydım.

Eşyamı topalardım. Gitmek, hemen çıkıp gitmek istiyordum. Çektiğim acı çok büyüktü. Elimi şapkama uzattım, şapka masanın üstünde, içinde beyaz güllerin, benim güllerimin bulunduğu vazonun yanındaydı. O anda çok güçlü bir biçimde içimden geldi, önüne geçilmesi imkânsızdı: Sana hatırlatmayı bir defa daha denemek istiyordum: "Beyaz güllerinden bir tane verir misin bana?" "Memnuniyetle," dedin ve hemen bir gül çıkardın. "Ama belki de onlar sana bir kadının, seni seven bir kadının hediyesidir?" dedim. "Belki de," dedin, "bilmiyorum. Bana gönderildiler, ama kimden geldiğini bilmiyorum; zaten bu yüzden onları çok seviyorum." Sana baktım. "Belki de unuttuğun bir kadından gelmişlerdir!"

Başını kaldırıp hayretle baktın. Ben de gözümü sana diktim. "Tanı beni, tanı beni artık!" diye haykırıyordu bakışlarım. Fakat senin gözlerinde sevimli ve hiçbir şey bilmeyen bir gülümseme vardı. Beni bir defa daha öptün. Ama beni tanımadın.

Hızla kapıya gittim, çünkü gözlerimin yaşlarla dolduğunu hissediyordum ve sen bunu görmemeliydin. Dışarıya o kadar acele fırlamıştım ki, holde neredeyse uşağın Johann'la çarpışacaktım. Johann ürkerek hemen kenara çekildi, beni dışarıya bırakmak için dairenin kapısını açtı ve işte oracıkta –oradaki bir saniyede, duyuyor musun? Gözlerim yaşlarla dolu ona, yaşlanmış olan adama baktığımda, bakışlarında birdenbire bir ışık çaktı. O tek bir saniyede, anlıyor musun? O tek bir saniyede çocukluğumdan beri beni görmemiş olan yaşlı adam, beni tanımıştı. Bu tanınmadan ötürü onun önünde diz çökebilir ve ellerini öpebilirdim. Ben de hemen beni kırbaçlamak için manşonuma tıktığın kâğıt paraları çıkardım ve onun cebine soktum. Yaşlı adam titredi, başını kaldırıp korkuyla bana baktı –o tek saniyede benim hakkımda belki de senin bütün hayatında yapamadığın kadar çok şeyin farkına vardı. Evet, bütün, ama bütün insanlar beni şımarttılar, bana karşı hepsi iyiydi –yalnızca sen, evet, yalnızca sen beni unuttun, yalnızca sen, beni asla tanımadın!

Çocuğum öldü, bizim çocuğumuz –şimdi dünyada, senden başka, sevebileceğim kimse kalmadı. Fakat sen kimsin ki benim için? Sen, beni asla, asla tanımayan, bir su birikintisinin yanından geçercesine yanımdan geçip giden, bir taşa basarcasına üstüme basan, hep, ama hep yoluna devam eden ve beni sonsuz bir bekleyiş içerisinde bırakan sen, kimsin ki benim için? Sadece bir defa seni alıkoyabileceğimi sandım, seni, hep kaçak olanı çocuğunda tutabileceğimi sandım. Fakat sonuçta o senin çocuğun: bir gecede acımasızca benden uzaklaştı, bir yolculuğa çıktı ve asla geri dönmeyecek. Ben yine yalnızım, her zaman olduğumdan çok daha fazla yalnızım, hiçbir şeyim yok, senden hiçbir şeyim yok –artık ne çocuk, ne bir sözcük, ne bir hatırlayış ve biri senin yanında adımı söylese, bir yabancı gibi umursamaz gidersin. O zaman, sana göre ölü olduğuma göre, neden ölmekten hoşlanmayayım, sen benden gitmiş olduğuna göre, neden ben de artık yoluma gitmeyeyim? Hayır sevgilim, sana karşı suçlamada bulunmuyorum, senin o neşeli evine acılarımı yollamak istemem. Seni rahatsız etmeyi sürdüreceğimden sakın korkma –bağışla beni, sadece çocuğumuz biraz ötede ölü ve terk edilmiş olarak yatarken, ruhumun çığlıklarını dillendirmek zorundaydım. Sadece bir defa seninle konuşmak zorundaydım –ondan sonra yine dilsiz olarak karanlığıma geri döneceğim, yanında hep dilsiz kaldığım gibi. Ama sen, ben yaşadığım sürece bu çığlığı duymayacaksın –ancak öldüğüm takdirde bu benden kalan sana ulaşacak, benden, yani seni herkesten çok sevmiş, ama senin tarafından hiç tanınmamış olandan, hep seni beklemiş, ama senin tarafından hiç çağrılmamış olandan kalan bir miras. Belki de, evet belki de ancak o zaman beni çağıracaksın, ve ben de ilk defa sana karşı sadakatsiz olacağım, çünkü ölmüşken artık seni duyamam: sana hiçbir resim ve hiçbir işaret bırakmıyorum, senin de bana hiçbir şey bırakmadığın gibi: beni asla, hiçbir zaman tanımayacaksın. Hayattayken kaderim buydu, ölümümden sonra da böyle olsun. Seni son saatimi paylaşmak için çağırmak istemiyorum, sen adımı ve yüzümü bilmeden çıkıp gidiyorum. İçim rahat ölüyorum, çünkü sen o ölümü uzaktan hissedemezsin. Ölmem sana acı verecek olsaydı eğer, o zaman ölemezdim.

Artık daha fazla yazamam ... kafamın içi çok bulanık ... her yerim ağrıyor, ateşim var ... öyle sanıyorum ki, hemen uzanmak zorunda kalacağım. Belki de her şey çabuk olup biter, belki de bir defa olsun kader bana iyi davranır ve çocuğumu nasıl alıp götürdüklerini görmek zorunda kalmam... Artık yazamıyorum. Elveda, sevgilim, elveda, sana teşekkür ederim... Her şey, olduğu şekliyle iyiydi, her şeye rağmen... Bu yüzden sana son nefesime kadar teşekkür etmek istiyorum. Kendimi iyi hissediyorum: Sana her şeyi anlattım. Şimdi artık biliyorsun, hayır, yalnızca seziyorsun seni ne kadar çok sevmiş olduğumu ve bu aşk yüzünden omuzlarına hiçbir yük binmiyor. Benim eksikliğimi duymayacaksın –bu beni teselli ediyor. O güzel, aydınlık hayatında hiçbir şey şimdiye kadarkinden farklı olmayacak ... ölümümle sana hiçbir üzüntü vermiyorum ... bu beni teselli ediyor, sevgilim.

Fakat kim ... evet, şimdi, bundan sonra kim yaş günlerinde sana hep beyaz güller yollayacak? Ah, evet, vazo boş kalacak, bir zamanlar yılda bir defa olsun etrafında esmiş olan o hafif nefes, hayatımdan sana gelen o küçücük rüzgâr, evet, o da solup gidecek! Sevgilim, dinle, senden rica ediyorum ... bu, benim senden ilk ve son ricam ... benim hatırım için yap bunu, her yaş gününde –çünkü yaş günü, insanın kendi üzerinde düşündüğü bir gündür– güller al ve onları vazoya koy. Yap bunu, sevgilim, başkalarının yılda bir defa sevdikleri ölmüşleri için bir ayin yaptırdıkları gibi sen de bunu yap. Bana gelince, ben artık Tanrı'ya inanmıyorum ve ayin istemiyorum, ben yalnızca sana inanıyorum, yalnızca seni seviyorum ve yalnızca sende biraz daha yaşamaya devam etmek istiyorum ... ah, evet, sadece yılda bir gün, şöyle sessiz mi sessiz, senin yanında nasıl yaşadıysam öyle... Senden rica ediyorum, yap bunu, sevgilim ... bu benim senden ilk ve son ricam ... sana teşekkür ederim ... seni seviyorum, seni seviyorum ... elveda.

R., mektubu titreyen ellerinden bıraktı. Daha sonra uzun süre düşündü. Kafasında bir komşu çocuğuna ait, bir genç kıza ait, gece kulübündeki bir kadına ait bazı karışık hatıralar belirdi, ama bu, tıpkı akarsuyun zeminindeki bir taşın parıldaması ve herhangi bir biçimden yoksun olarak titremesi gibi, bulanık ve karmakarışık bir hatırlama haliydi. Adam, duyguya ait hatıraların varlığını hissediyor, ama onları yine de hatırlayamıyordu. Sanki bütün bu kişileri rüyada görmüş gibiydi, sık sık görmüştü onları, ama sadece bir rüya görme haliydi.

O sırada bakışları önünde, yazı masasının üstünde duran mavi vazoya takıldı. Vazo boştu, yıllardan beri bir yaş gününde ilk defa boştu. Korktu: sanki birdenbire bir kapı görünmeksizin açılmıştı ve başka bir dünyadan gelen soğuk bir esinti, sakin odasına akıyordu. R., bir ölümü ve ölümsüz aşkı hissetti: ruhunda sanki bir kabuk kırıldı ve adam görünmeyeni, uzaklardaki bir müziği hatırlarcasına, cisimsellikten yoksun ve tutkuyla düşündü.

## SON

# SONSÖZ

*"Bilinmeyen Bir Kadının Mektubu"*
*ya da*
*Aşkın Psikolojisi*

Avusturyalı yazar Stefan Zweig (1881-1942), *Bilinmeyen Bir Kadının Mektubu* (Brief einer Unbekannten) adlı öyküsünü 1920'li yılların ilk yarısında –büyük bir olasılıkla 1922'de– kaleme aldı.

Öyküyü ve içerdiği gerçekliği yeterince kavrayabilmek açısından bu tarihi göz önünde tutmak önemlidir. Orta Avrupa'da 1870'lerde başladığı kabul edilen bu dönem kozmopolit, yani çok-kaynaklı kültürün Avrupa'daki doruk noktasını oluşturur ama aynı zamanda çarpıcı bir çelişkiyi de sergiler. Çünkü sözü edilen bu zaman parçasında belli bir çöküş ve yine belli bir yükseliş eşzamanlı ve birlikte yaşanır. Çöküş aileden devlete ve iktidar mekanizmalarına kadar uzanan çok geniş bir yelpaze boyunca, hemen bütün toplumsal kurumlarda yaşanır. Bu, kültürdeki eskimişlikten ya da Sigmund Freud'un çok doğru nitelendirmesiyle, bu eskimişlik sonucu "kültürde tedirginliğin" başlamasından kaynaklanan bir çöküştür.

Böyle bir çöküşü eşi bulunmaz bir hesaplaşma fırsatı sayan dönemin sanatçıları, düşünürleri ve bilim adamları, alanlarındaki hesaplaşmalarını somutlaştıran eserleriyle ve buluşlarıyla, bu defa aynı çöküşe koşut ilerleyecek bir yükselişin altına imza atacaklardır. Bu arada özellikle psikoloji alanında Freud, Adler ve Jung'un buluşları ile bu buluşlar temelinde geliştirilen kuramlar, insana ve topluma ait o güne kadar bütün bilinenlere artık çok farklı açılardan bakılmasını kaçınılmaz kılacak, insan karakterinin belirleyici etmenlerini yeni yorumların süzgecinden geçirtecek ve bu arada insanlar arasındaki türlü iletişim biçimleri ve ilişkiler de bu yorumlardan paylarını alacaklardır.

Yaşadığı yıllar bağlamında (1881-1942) bütünüyle Orta Avrupa'nın bu kendine özgü kozmopolit yapısıyla biçimlenen bir "Çöküş ve Yükseliş" döneminin ürünü olan Stefan Zweig, bir yandan Rönesans'ın ve onun has çocuğu Erasmus'un büyük mirası olan Batı Hümanizmi'ni tam olarak özümsemiş, aynı mirasın bir başka temsilcisinin ve yaratıcısının, Montaigne'in düşünsel eğitiminden geçmiş kimliğiyle –bu kimliği yüzünden Zweig, ölümünden sonra çoğu çağdaşlarınca "Son Avrupalı" diye anılacaktır–, öte yandan da bu kimliğin doğal Rönesans uzantısı olan araştırmacılığıyla, sözünü ettiğimiz dönemin gerçek önderlerinden biridir.

Psikoloji alanında, Freud öncesinden Freud'a ve ondan sonrasına uzanan çok geniş bir birikime sahip olan Zweig, dünya edebiyat tarihinde biyografi türünün en büyük birkaç ustasından olmasını da özellikle bu birikimine borçludur. Çünkü belli dönemlerin, tarihe geçmiş kişilerden yola çıkılarak ve o kişiler açısından anlatılması diye tanımlayabileceğimiz biyografi türünün başarısı, ele alınan kişilere ilişkin psikolojik çözümlemeler aracılığıyla tarihe "onlar açısından bir bakış"ın ne ölçüde gerçekleştirilebildiğinden bağımlıdır.

Stefan Zweig, bu bağlamda biyografi türünde yakaladığı ustalığı biyografi dışındaki anlatılarının karakterlerini oluştururken de sergiler. Örneğin bu açıdan bakıldığında, yazarın en ünlü biyografilerinden *Marie Antoinette* ile *Bilinmeyen Bir Kadının Mektubu* adlı uzun öyküsünün adsız kahramanı arasında çok ilginç bir koşutluk vardır; gerek Marie Antoinette'in Habsburg'ların Viyana'daki sarayları Schönbrunn'dan Paris'te, Versailles Sarayı'ndaki Fransa kraliçeliği tahtına uzanan yolu, gerekse andığımız öyküdeki bilinmeyen kadının inanılmaz bir aşkın örgüsüne yerleştirilmiş olan kaderi aynı taşlarla, her iki karakteri oluşturan psikolojik özelliklerle ve aşamalarla örülmüştür. Bu örgüler okura Marie Antoinette örneğinde, Büyük Fransız Devrimi'nin hemen öncesinde ve gerçekleşme sürecinde dünya tarihinin çok önemli bir dönemini, yazarın nitelendirmesi ile "sıradan bir karakterin portresi" aracılığıyla ve portrede resmedilen kişinin karakter özellikleri temelinde sunulur. Burada Zweig'ın sözünü ettiği "sıradan bir karakter", Fransa Kraliçesi Marie Antoinette'e aittir; gerçekten de Marie Antoinette sonunda merdivenlerini çıkacağı taht bağlamında kendisini aday kılacak hiçbir niteliğe ve özelliğe sahip değildir. On sekizinci yüzyıl sonlarının çalkantılı Fransa'sında o, ancak hep aklına estiğini yapan, bulunduğu yer bakımından hiçbir sorumluluk duygusu taşımayan, zengin bir sosyete kadını olmaya aday bir kişiliktir ve yoluna "devrim" gibi sıra dışı bir olay çıkmasa, bu sıradanlık onu taşıyanın eceliyle ölümüne kadar varlığını hiç sarsılmadan sürdürebilecektir. Ne

*Stefan Zweig*

var ki, adına "devrim" denilen olay, zengin bir sosyete kadını için suçlanan hiçbir yanı bulunmayan bir hayatın milyonların kaderine hükmeden bir mevkide, kraliçelik tahtında oturan bir kadın için ne büyük bir yıkıma sürüklenişin kaynağı olabileceğini çok acı bir biçimde kanıtlar. Ancak iktidarın zirvelerinde iken bulunduğu yerin sorumluluklarını hiç umursamayan bu kraliçe, iktidardan düşüşünden giyotine kadar uzanan yol boyunca şaşırtıcı karakter özellikleri sergiler; devrim mahkemesinin suçlamaları karşısındaki kişilik onurundan hiç ödün vermeyen tutumuyla, ölüm karşısındaki yürekliliği ile Marie Antoinette, sıradan bir kimliği geride bırakıp, çok güçlü bir eş, sorumluluğunun bilincinde bir anne olarak karşımıza çıkar. Zweig'ın ifadesiyle, tahtta iken sergileseydi kendisini Avrupa'nın ve halkının gözünde gelmiş geçmiş sayılı iktidar sahiplerinden biri kılabilecek bu karakter özellikleri, Marie Antoinette'e ancak ölüme uzanan yolunda yardımcı olabilir.

Görünüşüyle ve eylemleriyle hep sıradanlık izlenimini yaratmış bir kişilikte gizli olan bu karakter özelliklerini bir biyografi çerçevesinde böylesine ustaca işleyebilmek, ancak Stefan Zweig'ın psikoloji birikimine sahip bir yazarın üstesinden gelebileceği bir iştir.

*Bilinmeyen Bir Kadının Mektubu*'nun kadın kahramanını ise sadece uzun bir mektubun yazarı olarak tanırız. Kadının hayatı boyunca sevmiş olduğu erkek için kaleme aldığı bu mektubun "gönderen"inin adı verilmemiştir. Mektubun başında tek bir hitap vardır: *"Sana, beni asla tanımamış olan sana"*. Ayrıca mektupta, adın belirtilmemiş olmasına rağmen, yazanı mektubun alıcısına "onu hep delice sevmiş bir kadın" olarak tanıtabilecek en ufak bir ipucu da bulunmamaktadır.

Oysa kadın ile erkek –onun kimliği, en azından "roman yazarı R." olarak bellidir– karşılaşmışlardır; hatta kadının genç kızlık döneminde çok kısa süre, birkaç gün ve gece, birlikte olmuşlardır ve bu birliktelikten bir çocuk da dünyaya gelmiştir. Ama buna rağmen mektup boyunca kadının dile getirdiği şu söylemle hep karşılaşırız: "Sen, beni asla tanımadın!" Buradaki "ben", erkeğe delice âşık olan "ben"dir ve erkek, onu bu niteliği ile hiç tanımamıştır. Onun için bu "ben", hayatına giren öteki kadınlardan –ki, bunların sayısı hayli kabarıktır!– hiçbir farkı bulunmayan bir bendir.

Kadın, kısa beraberliklerinde ona yıllardır âşık olduğunu hiçbir zaman söylemez. Söylediği takdirde, erkeğe paylaşılmamış bir derin duygudan ötürü sorumluluk yükleyebileceğinden korkar. Zaten ondan bir çocuğu olduğunu da aynı nedenle gizler. Çünkü kadına göre yaşadığı aşk, ancak karşısındaki erkek tarafından bu boyutta anlaşılabildiği takdirde bir "karşılıklı aşk" olabilecektir. Bu olmadığı takdirde kadın, büyük tutkusunu hep bir "bilinmeyen" olarak, yani tek başına yaşamaya razıdır.

Görüldüğü gibi, bu olayda dekor olarak bir kraliyet sarayının ihtişamı ve bir çağ değişiminin büyük dalgalanmaları yoktur. Sadece 1920'lerin Viyana'sında sessiz sedasız ve tek taraflı yaşanan bir aşkın hüznü vardır. Başka deyişle Zweig, bu metninde aşkın psikolojik çözümlemesini yalnızca tek kişinin iç dünyasından yola çıkarak yapmıştır. Dikkat edilirse, bu cümleyi kurarken "taraflardan yalnızca birinin iç dünyasından yola çıkarak" demedim; çünkü bu aşk öyküsünde "taraflar" değil, sadece tek bir "taraf" var.

Böylesine, gerçek anlamda aşk denilebilir mi? Bu, her okurun tek başına cevap vermek zorunda olduğu bir soru ve kanımca hiç de kolay olmayabilir; çünkü Zweig'ın bu metin aracılığı ile insan psikolojisinde eşine pek rastlanmayan bir yolculuğa çıkmış olması ve bu yolculuğun sonunda "mutlak aşk" kavramının şimdiye kadar bilinmeyen kıyılarına varmayı amaçlamış olması gibi bir ihtimal de var!

*Ahmet Cemal*
*Moda, 5 Haziran 2012*